Introducción a p5.js

Lauren McCarthy, Casey Reas, y Ben Fry

PROCESSING

FOUNDATION

Introducción a p5.js

por Lauren McCarthy, Casey Reas, y Ben Fry. Traducido por Aarón Montoya-Moraga

Impreso en Estados Unidos.

Publicado por Processing Foundation, Inc.
https://processingfoundation.org

- Diseño de portada, versión en español: Tyler Yin
- Diseño interior, versión en español: Casey Reas
- Composición tipográfica, versión en español: Tyler Yin
- Ilustraciones: Taeyoon Choi
- Edición, versión en inglés: Anna Kaziunas France
- Edición de producción, versión en inglés: Kristen Brown
- Corrección de estilo, versión en inglés: Jasmine Kwityn
- Corrección de pruebas, versión en inglés: Kim Cofer
- Diseño interior, versión en inglés: David Futato

- Abril 2018: primera edición

Historial de revisiones de la primera edición

- 2017-12-04: Primer lanzamiento

978-0-9998813-0-9

Contenido

Prefacio

p5.js está inspirado y guiado por otro proyecto, que empezó hace alrededor de 15 años. En el año 2001, Casey Reas y Ben Fry empezaron a trabajar en una nueva plataforma para hacer más fácil la programación de gráficas interactivas; la nombraron Processing. Ellos estaban frustrados con lo difícil que era escribir este tipo de software con los lenguajes que normalmente usaban (C++ y Java) y fueron inspirados por lo simple que era escribir programas interesantes con los lenguajes de su niñez (Logo y BASIC). Su mayor influencia fue Design by Numbers (DBN), un lenguaje que ellos en ese tiempo estaban manteniendo y enseñando (y que fue creado por su tutor de investigación, John Maeda).

Con Processing, Ben y Casey estaban buscando una mejor manera para probar sus ideas fácilmente y en código, en vez de solamente conversar sobre ellas o pasar demasiado tiempo programándolas en C++. Su otro objetivo fue construir un lenguaje para enseñar programación a estudiantes de diseño y de arte y ofrecerle a estudiantes más avanzados una manera más fácil de trabajar con gráficas. Esta combinación es una desviación positiva de la manera en que usualmente se enseña programación. Los nuevos usuarios comienzan concentrándose en gráficos e interacción en vez de estructuras de datos y resultados en forma de texto en la consola.

A través de los años, Processing se ha transformado en una gran comunidad. Es usado en salas de clases a lo largo del mundo, en planes de estudios de artes, humanidades y ciencias de la computación y de forma profesional.

Hace dos años, Ben y Casey me hicieron una pregunta: ¿cómo sería

Processing si funcionara en la web? p5.js nace con el objetivo original de Processing, hacer que programar sea accesible para artistas, diseñadores, educadores y principiantes, y luego lo reinterpreta para la web actual usando JavaScript y HTML.

El desarrollo de p5.js ha sido como reunir mundos distintos. Para facilitar la transición a la web de los usuarios de la comunidad existente de Processing, seguimos la sintaxis y las convenciones de Processing tanto como fue posible. Sin embargo, p5.js está construido en JavaScript, mientras que Processing está construido en un lenguaje llamado Java. Estos dos lenguajes tienen distintos patrones y funciones, así que en ocasiones nos tuvimos que alejar de la sintaxis ya familiar de Processing. También fue importante que p5.js pudiera ser integrado sin problemas a las existentes características, herramientas y estructuras de la web, para así atraer a usuarios familiarizados con la web, pero sin experiencia en programación creativa. Sintetizar todos estos factores fue un desafío, pero el objetivo de unir estas estructuras proporcionó un camino claro a seguir en el desarrollo de p5.js.

Una primera versión beta fue lanzada en agosto del 2014. Desde ese entonces, ha sido usado e integrado a programas de estudios en todo el mundo. Existe un editor oficial de p5.js que está actualmente en desarrollo, y se está progresando en muchas nuevas características y bibliotecas.

p5.js es un esfuerzo comunitario - cientos de personas han contribuido funciones esenciales, soluciones a errores, ejemplos, documentación, diseño, reflexiones y discusión. Pretendemos continuar la visión y el espíritu de la comunidad de Processing mientras la expandimos aún más en la web.

Cómo está organizado este libro

Los capítulos de este libro están organizados de la siguiente manera:

- 1/Hola: aprende sobre p5.js.

- 2/Empezando a programar: crea tu primer programa en p5.js.

- 3/Dibujar: define y dibuja figuras simples.

- 4/Variables: almacena, modifica y reusa datos.

- 5/Respuesta: controla e influye en programas con el ratón, el teclado y el tacto.

- 6/Trasladar, rotar, escalar: transforma las coordenadas.

- 7/Medios: carga y muestra medios, incluyendo imágenes y tipos de letras.

- 8/Movimiento: mueve y coreografía figuras.

- 9/Funciones: construye nuevos módulos de código.

- 10/Objetos: crea módulos de código que combinan variables y funciones.

- 11/Arreglos: simplifica el trabajo con listas de variables.

- 12/Datos: carga y visualiza datos.

- 13/Extensión: aprende sobre sonido y DOM.

Para quién es este libro

Este libro fue escrito para personas que quieren crear imágenes y programas interactivos simples con una introducción casual y concisa a la programación de computadores. Es para personas que quieren una ayuda para entender los miles de ejemplos de código en p5.js y los manuales de referencia disponibles en la web de forma gratuita y libre. *Introducción a p5.js* no es un libro de referencia sobre programación; como el título lo sugiere, te ayudará a empezar. Es útil para adolescentes, adultos, entusiastas y cualquier persona interesada.

Este libro también es apropiado para personas con experiencia en programación que quieran aprender los conceptos básicos de gráficos computacionales interactivas. *Introducción a p5.js* contiene técnicas que pueden ser aplicadas en la creación de juegos, animaciones e interfaces.

Convenciones usadas en este libro

En este libro se usan las siguientes convenciones tipográficas:

Cursivas

> Indican nuevos términos, URLS, direcciones de email, nombres de archivos y extensiones de archivos.

`Ancho constante`

> Usado para listados de programas y dentro de párrafos para referirse a elementos de programas como nombres de variables o funciones, bases de datos, tipos de datos, variables de ambiente, declaraciones y palabras clave.

`Ancho constante y cursiva`

> Muestra texto que debería ser reemplazado por valores provistos por el usuario o por valores determinados por el contexto.

Este tipo de párrafo indica una nota general.

Uso de ejemplos de código

Este libro está aquí para ayudarte a que logres hacer tu trabajo. En general, puedes usar el código de este libro en tus programas y documentación. No necesitas contactarnos para pedir permiso a menos que estés reproduciendo una porción significativa del código. Por ejemplo, escribir un programa que usa múltiples trozos de código de este libro no requiere permiso. Sí requiere permiso la venta o distribución de ejemplos de libros Make:. Responder una pregunta citando este libro y citar códigos de ejemplo no requiere permiso. Sí requiere permiso incorporar una cantidad significativa de código de ejemplo de este libro en la documentación de tu producto.

Apreciamos, pero no requerimos, atribución. Una atribución usualmente incluye el título, autor, editorial e ISBN. Por ejemplo: " *Make: Getting Started with p5.js* por Lauren McCarthy, Casey Reas y Ben Fry, Copyright 2015 Maker

Media, Inc., 978-1-457-18677-6."

Si sientes que tu uso de los ejemplos de código se aleja del uso justo o de los permisos dados aquí, siéntete libre de contactarnos en permissions@oreilly.com.

Safari® Books Online

Safari Books Online es una biblioteca digital on-demand que ofrece contenido experto en los formatos libro y video de los autores líderes del mundo en tecnología y negocios.

Profesionales de la tecnología, desarrolladores de software, diseñadores web y profesionales de negocios y creativos usan Safari Books Online como su fuente principal de investigación, resolución de problemas, aprendizaje y entrenamiento certificado.

Safari Books Online ofrece un rango de planes y precios para el sector empresarial, gubernamental, educacional, y para individuos.

Los miembros tienen acceso a miles de libros, videos de entrenamiento y manuscritos prepublicados en una base de datos completamente buscable de editores como Maker Media, O'Reilly Media, Prentice Hall Professional, Addison-Wesley Professional, Microsoft Press, Sams, Que, Peachpit Press, Focal Press, Cisco Press, John Wiley & Sons, Syngress, Morgan Kaufmann, IBM Redbooks, Packt, Adobe Press, FT Press, Apress, Manning, New Riders, McGraw-Hill, Jones & Bartlett, Course Technology, y cientos más. Para más información sobre Safari Books Online, por favor visítanos en línea.

Cómo contactarnos

Por favor dirige tus comentarios y preguntas sobre este libro a a la editorial:

- Maker Media, Inc.
- 1160 Battery Street East, Suite 125
- San Francisco, California 94111
- 800-998-9938 (en Estados Unidos o Canadá)
- *http://makermedia.com/contact-us/*

Make: une, inspira, informa y entretiene a una creciente comunidad de gente inventiva que se embarca en proyectos asombrosos en sus patios, sótanos y cocheras. Make: celebra tu derecho de modificar, hackear y torcer cualquier tecnología como quieras. La audiencia de Make: sigue siendo una cultura en expansión y una comunidad que cree en mejorarnos a nosotros mismos, a nuestro medio ambiente, a nuestro sistema educacional - al mundo entero. Esto es mucho más que una audiencia, es un movimiento mundial que Make: está liderando - lo llamamos el movimiento Maker.

Para más información sobre Make:, visítanos en línea:

- Make: magazine: *http://makezine.com/magazine/*
- Maker Faire: *http://makerfaire.com*
- Makezine.com: *http://makezine.com*
- Maker Shed: *http://makershed.com/*

Agradecimientos

Le agradecemos a Brian Jepson y a Anna Kaziunas France por su gran energía, apoyo y visión.

No podemos imaginar este libro sin *Getting Started with Arduino* (Maker Media) de Massimo Banzi. El excelente libro de Massimo fue el prototipo.

Un pequeño grupo de individuos ha, durante años, contribuido tiempo y energía esenciales a Processing. Dan Shiffman es nuestro compañero en la Fundación Processing, la organización 501(c)(3) que apoya al software Processing. La mayor parte del código principal de Processing 2.0 y Processing 3.0 proviene de las mentes brillantes de Andres Colubri y Manindra Moharana. Scott Murray, Jamie Kosoy y Jon Gacnik han construido una maravillosa infraestructura web para el proyecto. James Grady está haciendo un genial trabajo en la interfaz de usuario 3.0. Le agradecemos a Florian Jenett por sus años de trabajo en diversas áreas, incluyendo foros, sitio web y diseño. Elie Zananiri y Andreas Schlegel han creado la infraestructura para construir y documentar las bibliotecas contribuidas y han pasado innumerables horas curando las listas. Muchos otros han contribuido significativamente al proyecto, los datos precisos están disponibles en *https://github.com/processing*.

Este libro surgió de la enseñanza con Processing en UCLA. Chandler McWilliams ha sido instrumental en definir estas clases. Casey le agradece a los estudiantes de pregrado en el Departamento de Design Media Arts en UCLA por su energía y entusiasmo. Sus ayudantes del curso han sido grandes colaboradores para definir cómo Processing es enseñado. Agradecimientos a Tatsuya Saito, John Houck, Tyler Adams, Aaron Siegel, Casey Alt, Andres Colubri, Michael Kontopoulos, David Elliot, Christo Allegra, Pete Hawkes y Lauren McCarthy.

p5.js es desarrollado por una gran comunidad de contribuyentes a lo largo del mundo. Dan Shiffman, Jason Sigal, Sam Lavigne, K. Adam White, Chandler McWilliams, Evelyn Eastmond, los miembros del grupo de trabajo de p5 en ITP, los asistentes a la primera p5.js Contributor's Conference en el Frank-Ratchye STUDIO for Creative Inquiry de Carnegie Mellon University, y los estudiantes y mentores del Processing Google Summer of Code han sido instrumentales para hacer que p5.js sea lo que es hoy. Apoyo significativo para el proyecto ha sido provisto por la Processing Foundation, NYU ITP, RISD y Bocoup. Puedes ver la lista de lista completa de contribuyentes en *https://github.com/processing/p5.js#contributors*. Lauren también le agradece a Kyle McDonald por su perpetuo apoyo e inspiración.

Este libro ha sido transformado por las artísticas ilustraciones de Taeyoon Choi. Fueron desarrolladas en parte a través de una residencia en el Frank-Ratchye STUDIO for Creative Inquiry en Carnegie Mellon University, con apoyo del programa Art Works del National Endowment for the Arts. Charlotte Stiles ayudó tremendamente con la edición de los ejemplos e imágenes de este libro.

A través de la fundación del Aesthetics and Computation Group (1996–2002) en el MIT Media Lab, John Maeda hizo todo esto posible.

Los programas están hechos de instrucciones que hacen que robots abstractos hagan cosas.

Hola

p5.js sirve para escribir software que produce imágenes, animaciones e interacciones. La motivación es escribir una línea de código y que un círculo aparezca en la pantalla. Añade unas pocas líneas de código, y ahora el círculo sigue al ratón. Otra línea de código, y el círculo cambia de color cuando presionas el ratón. A esto lo llamamos *bosquejar* con código. Escribes una línea, luego añades otra, luego otra, y así. El resultado es un programa creado parte por parte.

Los cursos de programación típicamente se enfocan primero en estructura y teoría. Cualquier aspecto visual - una interfaz, una animación - es considerado un postre que solo puede ser disfrutado después de que terminas de comer tus vegetales, el equivalente a varias semanas de estudiar algoritmos y métodos. A través de los años, hemos visto a muchos amigos tratar de tomar estos cursos, para luego abandonarlos después de la primera sesión o después de una muy larga y frustrante noche previa a la entrega de la primera tarea. Toda curiosidad inicial que tenían sobre cómo hacer que el computador trabaje para ellos es perdida porque no pueden vislumbrar un camino claro entre lo que tienen que aprender al principio y lo que quieren crear.

p5.js ofrece una manera de programar a través de la creación de gráficas interactivas. Existen muchas maneras posibles de enseñar código, pero los estudiantes usualmente encuentran apoyo y motivación al tener una retroalimentación visual inmediata. p5.js provee esta retroalimentación, y su énfasis en imágenes, prototipado y comunidad es discutido en las siguientes páginas.

Bosquejo y prototipado

Bosquejar es una forma de pensar; es juguetón y rápido. El objetivo básico es explorar muchas ideas en un corto periodo de tiempo. En nuestro propio trabajo, usualmente empezamos bosquejando en papel y luego trasladamos nuestros resultados a código. Las ideas para animación e interacción son usualmente bosquejadas como un guión gráfico con anotaciones. Después de hacer algunos bosquejos en software, las mejores ideas son seleccionadas y combinadas en prototipos (Figura 1-1). Es un proceso cíclico de hacer, probar y mejorar que va y viene entre papel y pantalla.

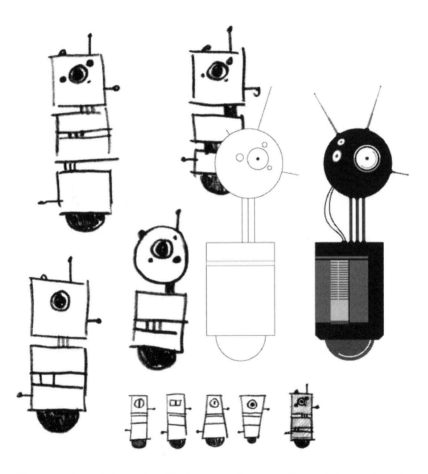

Figura 1-1. A medida que los dibujos pasan de un cuaderno de bosquejos a la pantalla, van emergiendo nuevas posibilidades

Flexibilidad

Tal como un cinturón de herramientas para software, p5.js está compuesto de muchas herramientas que funcionan en conjunto y en diversas combinaciones. Como resultado, puede ser usado para exploraciones rápidas o para investigación en profundidad. Como un programa hecho con p5.js puede ser tan corto como unas pocas líneas de código o tan largo como miles de líneas, existe espacio para crecimiento y variación. Las bibliotecas de p5.js lo extienden a otros dominios incluyendo el trabajo con sonido y la inclusión de botones, barras deslizadoras, ingreso de datos y captura de cámara con HTML.

Gigantes

Las personas han estado haciendo imágenes con computadores desde los años 1960s, y hay mucho que podemos aprender de esta historia. Por ejemplo, antes de que los computadores pudieran proyectar a pantallas CRT o LCD, se usaban grandes máquinas trazadoras (Figura 1-2) para dibujar las imágenes. En la vida, todos nos paramos sobre hombros de gigantes, y los titanes de p5.js incluyen pensadores del diseño, gráfica computacional, arte, arquitectura, estadística y otras disciplinas afines. Dale un vistazo a *Sketchpad* (1963) de Ivan Sutherland, *Dynabook* (1968) de Alan Kay y a otros artistas destacados en el libro de Ruth Leavitt *Artist and Computer* *http://www.atariarchives.org/artist/* (Harmony Books, 1976). Los archivos de ACM SIGGRAPH y de Ars Electronica brindan atisbos fascinantes en la historia de la gráfica y el software.

Figura 1-2. Demostración de dibujo por Manfred Mohr en el Musée d'Art
Moderne de la Ville de Paris usando la trazadora Benson y un computador
digital, 11 de mayo 1971 (foto por Rainer Mürle, cortesía de bitforms gallery,
New York)

Árbol familiar

Tal como los lenguajes humanos, los lenguajes de programación pertenecen a familias de lenguajes relacionados. p5.js es un dialecto de un lenguaje de programación llamado JavaScript. La sintaxis del lenguaje es casi idéntica, pero p5.js añade características personalizadas relacionadas a gráficas e interacción (Figura 1-3) y provee un acceso simple a características nativas de HTML5 que ya están soportadas por los navegadores web. Por estas características compartidas, aprender p5.js es un primer paso útil para aprender a programar en otros lenguajes y usar otras herramientas computacionales.

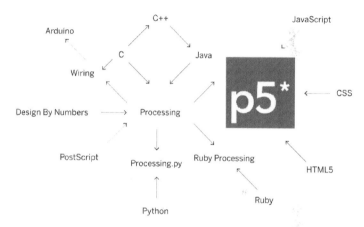

Figura 1-3. p5.js posee una gran familia de lenguajes y ambientes de programación relacionados

Únete

Miles de personas usan p5.js cada día. Al igual que ellos, tú puedes descargar p5.js gratuitamente. Incluso tienes la opción de modificar el código de p5.js para que se adapte a tus necesidades. p5.js es un proyecto FLOSS (free/libre/open source software, lo que significa software gratis libre y de código abierto), y siguiendo el espíritu de esta comunidad, te alentamos a participar y compartir tus proyectos y tu conocimiento en *http://p5js.org/es* (Figura 1-4).

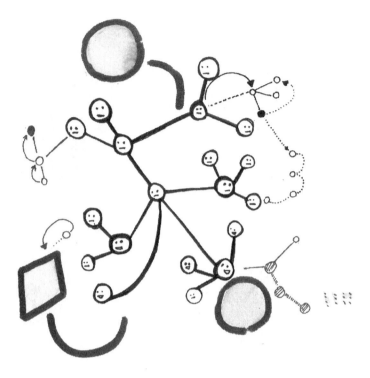

Figura 1-4. p5.js es promovido por una comunidad de personas que contribuyen a través de Internet

```
function setup()
{                   createCanvas (600, 400);
                    line (15, 25, 70, 90);      }
```

Empezando a programar

Para aprovechar al máximo este libro, no basta con solamente leerlo. Necesitas experimentar y practicar. No puedes aprender a programar solamente leyendo - se aprende haciendo. Para empezar, descarga p5.js y escribe tu primer bosquejo.

Ambiente

Primero, necesitarás un editor de código. Un editor de código es similar a un editor de texto (como Bloc de notas), excepto que posee una funcionalidad especial para editar código en vez de texto plano. Puedes usar cualquier editor que quieras; te recomendamos Atom y Brackets, ambos descargables de forma gratuita.

Descarga y configuracion de archivos

Comienza visitando *https://p5js.org/es/download/* y selecciona "p5.js completo". Haz doble click en el archivo *.zip* descargado, y arrastra el directorio a una ubicación en tu disco duro. Puede ser *Archivos de programa* o *Documentos* o simplemente el escritorio, lo importante es que el directorio *p5* sea extraido del archivo *.zip*.

El directorio *p5* contiene un proyecto de ejemplo con el que puedes empezar a trabajar. Abre tu editor de código. Luego abre el directorio llamado *empty-example* (ejemplo vacio) en tu editor de código. En la mayoría de los editores de código, puedes hacer esto yendo al menú Archivo, usando la opción Abrir y luego seleccionado el directorio *empty-example*. ¡Ahora estás listo para empezar tu primer programa!

Tu primer programa

Cuando abras el directorio *empty-example*, lo más probable es que veas una barra lateral con el nombre del directorio en la parte superior y una lista con los archivos contenidos en este directorio. Si haces click en alguno de estos archivos, verás los contenidos del archivo aparecer en el área principal.

Un bosquejo en p5.js está compuesto de varios lenguajes distintos usados en conjunto. *HTML* (HyperText Markup Language) brinda la columna vertebral, enlazando todos los otros elementos en la página. JavaScript (y la biblioteca p5.js) te permiten crear gráficas interactivas que puedes mostrar en tu página HTML. A veces se usa CSS (Cascading Style Sheets) para definir elementos de estilo en la página HTML, pero no cubriremos este lenguaje en este libro.

Si revisas el archivo *index.html*, te darás cuenta que contiene un poco de código HTML. Este archivo brinda la estructura a tu proyecto, enlazando la biblioteca p5.js y otro archivo llamado *sketch.js,* donde tú escribirás tu propio programa. El código que crea estos enlaces tiene la siguiente apariencia:

```
<script language="javascript" type="text/javascript" src="../
p5.js"></script>
<script language="javascript" type="text/javascript"
src="sketch.js"></script>
```

No necesitas hacer nada en el código HTML por el momento — ya está configurado para ti. A continuacion,haz click en *sketch.js* y revisa el código:

```
function setup() {
  // put setup code here
}

function draw() {
  // put drawing code here
}
```

El código plantilla contiene dos bloques, o funciones, `setup()` y `draw()`. Puedes escribir tu código en cualquiera de los dos lugares, y cada lugar tiene un propósito específico.

Cualquier código que esté involucrado en la definición del estado inicial de tu programa corresponde al bloque `setup()`. Por ahora, lo dejaremos vacío, pero más adelante en el libro, añadirás código aquí para especificar el tamaño del lienzo para tus gráficas, el grosor de tu trazado o la velocidad de tu programa.

Cualquier código involucrado en realmente dibujar contenido en la pantalla (definir el color de fondo, dibujar figuras, texto o imágenes) será puesto dentro del bloque draw(). Es aquí donde empezarás a escribir tus primeras líneas de código.

Ejemplo 2-1: dibuja una elipse

Entre las llaves del bloque draw(), borra el texto // put drawing code here y reemplázalo con lo siguiente:

```
background(204);
ellipse(50, 50, 80, 80);
```

Tu programa completo deberá verse así:

```
function setup() {
  // put setup code here
}

function draw() {
  background(204);
  ellipse(50, 50, 80, 80);
}
```

Esta nueva línea de código significa "dibuja una elipse, con su centro 50 pixeles a la derecha desde el extremo izquierdo y 50 pixeles hacia abajo desde el extremo superior, con una altura y un ancho de 80 pixeles". Graba el código presionando Command-S, o escogiendo la opción Archivo→Grabar del menú.

Para ver el código en ejecución, puedes abrir el archivo *index.html* en cualquier navegador web (como Chrome, Firefox o Safari). Navega al directorio *empty-example* en tu explorador de archivos y haz doble click en *index.html* para abrirlo. Otra alternativa es hacerlo desde el navegador web, escoger Archivo→Abrir y seleccionar el archivo *index.html*.

Si has escrito todo correctamente, deberías ver un círculo en tu navegador. Si no lo ves, asegúrate de haber copiado correctamente el código de ejemplo. Los números tienen que estar entre paréntesis y tener comas entre ellos. La línea debe terminar con un punto y coma.

Una de las cosas más difíciles al empezar a programar es que tienes que ser muy específico con la sintaxis. El software p5.js no es siempre suficientemente inteligente como para entender lo que quieres decir, y puede ser muy exigente con la puntuación. Te acostumbrarás a esto con un poco de práctica.

A continuación, avanzaremos para hacer más emocionante nuestro bosquejo.

Ejemplo 2-2: hacer círculos

Borra el texto del ejemplo anterior, y prueba este. Graba tu código, y refresca (Command-R) *index.html* en tu navegador para verlo actualizado.

```
function setup() {
  createCanvas(480, 120);
}

function draw() {
  if (mouseIsPressed) {
    fill(0);
  } else {
    fill(255);
  }
  ellipse(mouseX, mouseY, 80, 80);
}
```

Este programa crea un lienzo para gráficas que tiene un ancho de 480 pixeles y una altura de 120 pixeles, y luego empieza a dibujar círculos blancos en la posición del ratón. Cuando presionas un botón del ratón, el color del círculo cambia a negro. Explicaremos después y en detalle más de los elementos de este programa. Por ahora, ejecuta el código, mueve el ratón y haz click para experimentarlo.

La consola

El navegador tiene incluido una *consola* que puede ser muy útil para corregir errores en los programas. Cada navegador tiene una manera distinta de abrir la consola. Aquí están las instrucciones sobre cómo hacerlo en los navegadores más típicos:

- Para abrir la consola en Chrome, selecciona en el menú superior Ver → Opciones para desarrolladores → Consola de JavaScript.
- En Firefox, en el menú superior selecciona Herramientas → Desarrollador Web → Consola Web.
- Si usas Safari, necesitarás habilitar la funcionalidad antes de que puedas usarla. Desde el menú superior, selecciona Preferencias, luego haz click en la pestaña Avanzado y activa la casilla con el texto "Mostrar el menú Desarrollo en la barra de menús." Tras hacer esto, podrás seleccionar Desarrollo → Mostrar consola de JavaScript.

Ahora deberías ver un recuadro en la parte inferior o lateral de tu pantalla (Figura 2-1). Si hay un error de tipeo u otro error en tu programa, aparecerá texto rojo explicando qué error es. Este texto puede a veces ser críptico, pero si revisas al lado derecho de la línea, estará el nombre del archivo y el número de la línea de código donde fue detectado el error. Ese es un lugar adecuado donde empezar a buscar errores en tu programa.

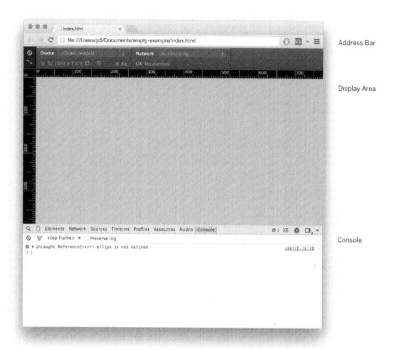

Figura 2-1. Vista de ejemplo de un error en la consola (la apariencia y disposicion varía segun el navegador usado)

Crear un nuevo proyecto

Has creado un bosquejo a partir de un ejemplo vacío, ¿pero cómo creas un nuevo proyecto? La manera más fácil de hacerlo es ubicando el directorio *empty-example* en tu explorador de archivos, luego copiar y pegarlo para crear un segundo *empty-example*. Puedes renombrar el directorio como quieras — por ejemplo, *Proyecto-2*.

Ahora puedes abrir este directorio en tu editor de código y empezar a hacer un nuevo bosquejo. Cuando quieras verlo en el navegador, abre el archivo *index.html* ubicado en tu nuevo directorio *Proyecto-2*.

Siempre es una buena idea grabar frecuentemente tus bosquejos. Mientras vas probando cosas nuevas, graba tu bosquejo con diferentes nombres, (Archivo→Guardar como), para que así siempre puedas volver a versiones anteriores. Esto es especialmente útil si algo falla.

Un error común es estar editando un proyecto pero estar viendo otro en el navegador, haciendo que no puedas ver los cambios que has realizado. Si te das cuenta que tu programa se ve igual a pesar de haber hecho cambios en tu código, revisa que estás viendo el archivo *index.html* correcto.

Ejemplos y referencia

Aprender a programar con p5.js involucra explorar mucho código: ejecutarlo, alterarlo, romperlo y mejorarlo hasta que lo hayas reconfigurado y hecho algo novedoso. Con esto en mente, el sitio web de p5.js tiene docenas de ejemplos que demuestran diferentes características de la biblioteca. Visita la página de Ejemplos para verlos. Puedes jugar con ellos editanto el código en la página y luego haciendo click en "Ejecutar." Los ejemplos están agrupados en distintas categorías según su función, como forma, color, e imagen. Encuentra un tema que te interese en la lista y prueba un ejemplo.

Si ves una parte del programa con la que no estás familiarizado o sobre la que quieres aprender su funcionalidad, visita la *Referencia de p5.js*.

La *Referencia de p5.js* explica cada elemento de código con una descripción y ejemplos. Los programas de la *Referencia* son mucho más cortos (usualmente cuatro o cinco líneas) y más fáciles de seguir que los ejemplos de la página Aprender. Ten en cuenta que estos ejemplos por simplicidad usualmente omiten setup() y draw(), pero estas líneas de código que ves deberán ubicarse dentro de uno de estos bloques para poder ser ejecutadas. Recomendamos mantener la página de *Referencia* abierta mientras estés leyendo este libro y mientras estés programando. Puede ser navegada por tema o usando la barra de búsqueda en la parte superior de la página.

La *Referencia* fue escrita pensando en el principiante; esperamos que sea clara y facil de entender. Estamos muy agradecidos de las personas que han encontrado errores y los han señalado. Si crees que puedes mejorar una entrada en la referencia o que has encontrado algún error, por favor haznos saber esto haciendo click en el enlace en la parte inferior de cada página de referencia.

createCanvas() es una función que crea
una superficie de dibujo y la adjunta
a la página HTML.

¡DEMASIADO
PEQUEÑO
PARA MI
ARTE!

¡100pix
100 pix

EL tamaño por defecto
es 100x100, es lo que obtendrás
si no especificas nada

bastidor   engrapadora
alicates
Así es como creas un lienzo.

Escríbelo así

```
function setup(){
    createCanvas(1920, 1080);
}
```

Ahora puedes dar un paso atrás y programar
mientras miras tu televisor de alta definición.

Siguiente
gran
arte
digital.

1920
1080

Dibujar

Al principio, dibujar en una pantalla de computador es como trabajar en papel cuadriculado. Empieza como un procedimiento técnico cuidadoso, pero a medida que se introducen nuevos conceptos, el dibujo de formas simples con software se transforma en un trabajo de animación e interacción. Antes de que hagamos este salto, tenemos que empezar por el principio.

Una pantalla de computador es una matriz de elementos de luz llamados *pixeles*. Cada pixel tiene una posición dentro de la matriz definida por sus coordenadas. Cuando creas un bosquejo en p5.js, lo puedes visualizar con un navegador. Dentro de la ventana del navegador, p5.js crea un *lienzo para dibujar*, un área en la que se dibujan las gráficas. El lienzo puede ser del mismo tamaño que la ventana, o puede tener dimensiones distintas. El lienzo está usualmente ubicado en la esquina superior izquierda de tu ventana, pero lo puedes posicionar en otros lugares.

Cuando dibujas en el lienzo, la coordenada *x* es la distancia desde el borde izquierdo del lienzo y la coordenada *y* es la distancia desde el borde superior. Escribimos las coordenadas de un pixel así: (x, y). Así que, si el lienzo es de 200×200 pixeles, la esquina superior izquierda es (0, 0), el centro está en (100, 100) y la esquina inferior derecha es (199, 199). Estos números pueden ser confusos; ¿por qué contamos de 0 a 199 en vez de 1 a 200? La respuesta es que en programación, usualmente contamos partiendo desde 0 porque así es más fácil hacer cálculos que veremos más adelante.

El lienzo

El lienzo es creado y las imágenes son dibujadas dentro de él a través de elementos de código llamados *funciones*. Las funciones son el bloque fundamental de un programa en p5.js. El comportamiento de una función está definido por sus *parámetros*. Por ejemplo, casi todos los programas en p5.js tienen una función createCanvas() que crea un lienzo para dibujar con un ancho y una altura específicos. Si tu programa no tiene una función createCanvas(), el lienzo creado por defecto es de 100×100 pixeles.

Example 3-1: crea un lienzo

La función createCanvas() tiene dos parámetros; el primero define el ancho del lienzo para dibujar, el segundo define la altura. Para dibujar un lienzo que sea de 800 pixeles de ancho y 600 pixeles de altura, escribe:

```
function setup() {
  createCanvas(800, 600);
}
```

Ejecuta este código para observar el resultado. Prueba con valores distintos para explorar las posibilidades. Prueba con números muy pequeños y con números más grandes que las dimensiones de tu pantalla.

Ejemplo 3-2: dibuja un punto

Para definir el color de un solo pixel dentro del lienzo, usamos la función `point()`. Posee dos parámetros que definen la posición: la coordenada *x* seguida de la coordenada *y*. Para crear un pequeño lienzo y un punto en el centro de él, la coordenada (240, 60), escribe:

```
function setup() {
  createCanvas(480, 120);
}

function draw() {
  background(204);
  point(240, 60);
}
```

Trata de escribir un programa que pone un punto en cada esquina del lienzo para dibujar y uno en el centro. Luego trata de poner puntos consecutivos de manera vertical, horizontal y en diagonales, para formar líneas.

Figuras básicas

p5.js incluye un grupo de funciones para dibujar figuras básicas (ver Figura 3-1). Figuras simples como líneas pueden ser combinadas para crear figuras más complicadas como una hoja o una cara.

Para dibujar una sola línea, necesitamos cuatro parámetros: dos para el punto inicial y dos para el final.

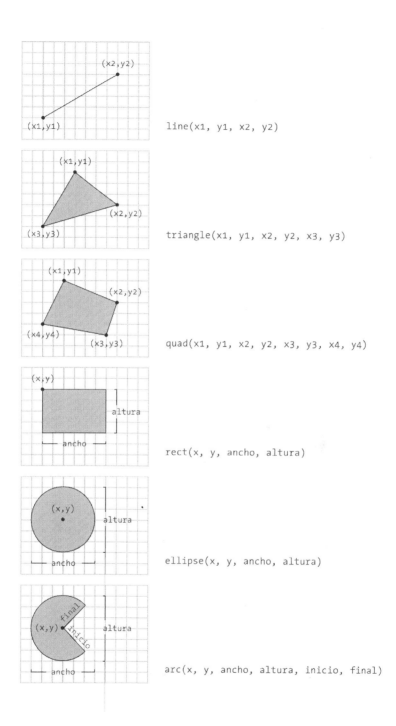

Figure with coordinate diagrams:

line(x1, y1, x2, y2)

triangle(x1, y1, x2, y2, x3, y3)

quad(x1, y1, x2, y2, x3, y3, x4, y4)

rect(x, y, ancho, altura)

ellipse(x, y, ancho, altura)

arc(x, y, ancho, altura, inicio, final)

Figura 3-1. Figuras y sus coordenadas

Ejemplo 3-3: dibuja una línea

Para dibujar una línea entre la coordenada (20, 50) y (420, 110), prueba:

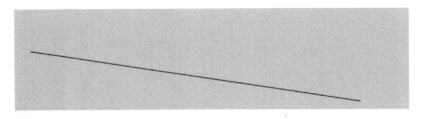

```
function setup() {
  createCanvas(480, 120);
}

function draw() {
  background(204);
  line(20, 50, 420, 110);
}
```

Ejemplo 3-4: dibuja figuras básicas

Siguiendo este patrón, un triángulo necesita seis parámetros y un cuadrilátero necesita ocho (un par por cada punto):

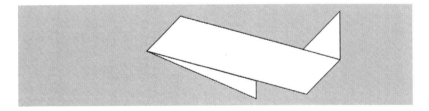

```
function setup() {
  createCanvas(480, 120);
}

function draw() {
  background(204);
  quad(158, 55, 199, 14, 392, 66, 351, 107);
  triangle(347, 54, 392, 9, 392, 66);
```

```
  triangle(158, 55, 290, 91, 290, 112);
}
```

Ejemplo 3-5:dibuja un rectángulo

Tanto los *rectángulos* como las *elipses* son definidos por cuatro parámetros:
el primero y el segundo son las coordenadas *x* e *y* del punto ancla, el tercero
es el ancho y el cuarto es la altura. Para dibujar un rectángulo en la
coordenada (180, 60) con un ancho de 220 pixeles y una altura de 40 pixeles,
usa la función rect() así:

```
function setup() {
  createCanvas(480, 120);
}

function draw() {
  background(204);
  rect(180, 60, 220, 40);
}
```

Ejemplo 3-6: dibuja una elipse

Las coordenadas *x* e *y* de un rectángulo corresponden a la esquina superior izquierda, pero para una elipse son el centro de la figura. En este ejemplo, observa que la coordenada *y* de la primera elipse está fuera del lienzo. Los objetos pueden ser dibujados parcialmente (o enteramente) fuera del lienzo sin arrojar errores:

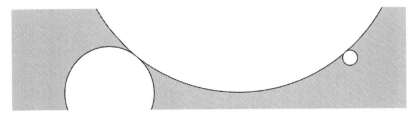

```
function setup() {
  createCanvas(480, 120);
}

function draw() {
  background(204);
  ellipse(278, -100, 400, 400);
  ellipse(120, 100, 110, 110);
  ellipse(412, 60, 18, 18);
}
```

p5.js no posee funciones separadas para dibujar cuadrados y círculos. Para hacer estas figuras, usa el mismo valor para los parámetros de *ancho* y *altura* en las funciones `ellipse()` y `rect()`.

Ejemplo 3-7: dibuja una parte de una elipse

La función `arc()` dibuja una parte de una elipse:

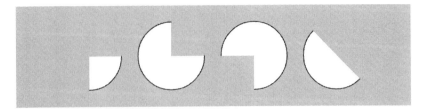

```
function setup() {
  createCanvas(480, 120);
}

function draw() {
  background(204);
  arc(90, 60, 80, 80, 0, HALF_PI);
  arc(190, 60, 80, 80, 0, PI+HALF_PI);
  arc(290, 60, 80, 80, PI, TWO_PI+HALF_PI);
  arc(390, 60, 80, 80, QUARTER_PI, PI+QUARTER_PI);
}
```

El primer y el segundo parámetro definen la ubicación, mientras que el tercero y el cuarto definen el ancho y la altura. El quinto parámetro define el ángulo inicial del arco y el sexto el ángulo final. Los ángulos están definidos en radianes, en vez de grados. Los *radianes* son medidas de ángulo basadas en el valor de pi (3.14159). La Figura 3-2 muestra cómo ambos están relacionados. Como se ve en este ejemplo, cuatro valores de radianes son usados tan frecuentemente que fueron agregados con nombres especiales como parte de p5.js. Los valores PI, QUARTER_PI, HALF_PI y TWO_PI (por PI, un cuarto de PI, un medio de PI, y dos PI) pueden ser usados para reemplazar los valores en radianes de 180°, 45°, 90°, y 360°.

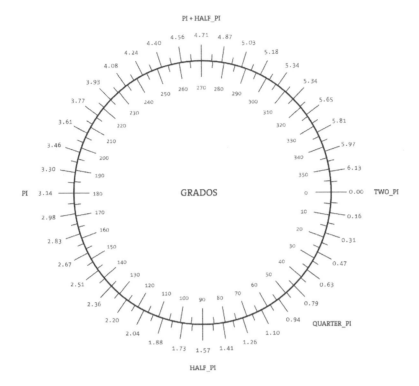

Figura 3-2. Radianes y grados son dos formas distintas de medir un ángulo. Los grados en una circunferencia van entre 0 y 360, mientas que los radianes están relacionados con pi, y van desde 0 a aproximadamente 6.28.

Ejemplo 3-8: dibuja con grados

Si prefieres usar medidas en grados, puedes convertir a radianes con la función radians(). Esta función toma un ángulo en grados y lo convierte al valor en radianes correspondiente. El siguiente ejemplo es el mismo que Ejemplo 3-7, pero usa la función radians() para definir los valores en grados de inicio y final:

```
function setup() {
  createCanvas(480, 120);
}

function draw() {
  background(204);
  arc(90, 60, 80, 80, 0, radians(90));
  arc(190, 60, 80, 80, 0, radians(270));
  arc(290, 60, 80, 80, radians(180), radians(450));
  arc(390, 60, 80, 80, radians(45), radians(225));
}
```

Ejemplo 3-9: usa angleMode()

De forma alternativa, puedes convertir tu bosquejo completo para que use grados en vez de radianes usando la función angleMode(). Esto hace que todas las funciones que aceptan o retornan ángulos usen grados o radianes según en el parámetro de la función, en vez de que tú tengas que convertirlos. El siguiente ejemplo es el mismo que Ejemplo 3-8, pero usa la función angleMode(DEGREES) para definir los valores en grados de inicio y final (DEGREES significa grados):

```
function setup() {
  createCanvas(480, 120);
  angleMode(DEGREES);
}

function draw() {
  background(204);
  arc(90, 60, 80, 80, 0, 90);
  arc(190, 60, 80, 80, 0, 270);
  arc(290, 60, 80, 80, 180, 450);
  arc(390, 60, 80, 80, 45, 225);
}
```

Orden de dibujo

Cuando un programa se ejecuta, el computador empieza por el principio y lee cada línea de código hasta que llega a la última línea y luego se detiene.

Existen unas pocas excepciones a esto, como cuando cargas archivos externos, las que revisaremos más adelante. Por ahora, puedes asumir que cada línea se ejecuta en orden cuando dibujas.

Si quieres que una figura sea dibujada encima de todas las otras figuras, necesita estar después de las otras en el código.

Ejemplo 3-10: controla el orden de dibujo

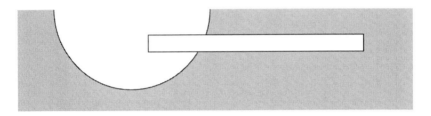

```
function setup() {
  createCanvas(480, 120);
}

function draw() {
  background(204);
  ellipse(140, 0, 190, 190);
  // El rectángulo es dibujado sobre la elipse
  // porque está después en el código
  rect(160, 30, 260, 20);
}
```

Ejemplo 3-11: en reversa

Modifica el bosquejo invirtiendo el orden de rect() y ellipse() para ver el círculo encima del rectángulo:

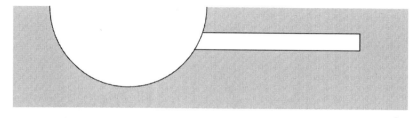

```
function setup() {
  createCanvas(480, 120);
}

function draw() {
  background(204);
  rect(160, 30, 260, 20);
  // La elipse es dibujada sobre el rectángulo
  // porque está después en el código
  ellipse(140, 0, 190, 190);
}
```

Puedes pensar esto como pintar con brocha o hacer un collage. El último elemento que añades es el que está visible encima del resto.

Propiedades de las figuras

Puedes querer tener más control sobre las figuras que dibujas, más allá de su posición y su tamaño. Para lograr esto, existe un conjunto de funciones que definen las propiedades de las figuras.

Ejemplo 3-12: define el grosor del trazo

El valor por defecto del grosor del trazo es de un pixel, pero esto puede ser cambiado con la función strokeWeight(). El único parámetro de strokeWeight() define el grosor de las líneas dibujadas:

```
function setup() {
  createCanvas(480, 120);
}

function draw() {
  background(204);
  ellipse(75, 60, 90, 90);
  strokeWeight(8);   // Grosor del trazo es 8 pixeles
  ellipse(175, 60, 90, 90);
  ellipse(279, 60, 90, 90);
  strokeWeight(20);   // Grosor del trazo es 20 pixeles
  ellipse(389, 60, 90, 90);
}
```

Ejemplo 3-13: define los atributos del trazo

La función strokeJoin() modifica la forma en que las líneas se unen (y cómo se ven las esquinas), y la función strokeCap() cambia cómo las líneas son dibujadas en su inicio y final:

```
function setup() {
  createCanvas(480, 120);
```

```
    strokeWeight(12);
}

function draw() {
  background(204);
  strokeJoin(ROUND);      // Redondea las esquinas del trazo
  rect(40, 25, 70, 70);
  strokeJoin(BEVEL);      // Bisela las esquinas del trazo
  rect(140, 25, 70, 70);
  strokeCap(SQUARE);      // Cuadra los extremos de las líneas
  line(270, 25, 340, 95);
  strokeCap(ROUND);       // Redondea los extremos de las líneas
  line(350, 25, 420, 95);
}
```

La posición de figuras como rect() y ellipse() es controlada por las
funciones rectMode() y ellipseMode(). Revisa la *Referencia de p5.js* para
ver ejemplos de cómo posicionar rectángulos según su centro (en vez de su
esquina superior izquierda), o de cómo dibujar elipses desde su esquina
superior izquierda como los rectángulos.

Cuando se define cualquiera de estos atributos, todas las figuras dibujadas
posteriormente son afectadas. Por ejemplo, en Ejemplo 3-12, observa cómo
el segundo y tercer círculo tienen el mismo grosor de trazo, a pesar de que el
grosor es definido solamente una vez antes de que ambos sean dibujados.

Observa que la línea de código strokeWeight(12) aparece dentro de
setup() en vez de draw(). Esto ocurre porque no cambia durante la
duración de nuestro programa, así que basta con definirlo una única vez en
setup(). Esto es mayormente por organización; poner la línea en draw()
tendría el mismo efecto visual.

Color

Todas las figuras hasta el momento han sido rellenas de color blanco y de
borde negro. Para cambiar esto, usa las funciones fill() y stroke(). Los
valores de los parámetros varían entre 0 y 255, donde 255 es blanco, 128 es
gris medio y 0 es negro. La Figura 3-3 muestra cómo los valores entre 0 y 255
corresponden a diferentes niveles de gris. La función background() que
hemos visto en ejemplos anteriores funciona de la misma manera, excepto
que en vez de definir el color de relleno o de trazado para dibujar, define el
color del fondo del lienzo.

0	64	128	192
1	65	129	193
2	66	130	194
3	67	131	195
4	68	132	196
5	69	133	197
6	70	134	198
7	71	135	199
8	72	136	200
9	73	137	201
10	74	138	202
11	75	139	203
12	76	140	204
13	77	141	205
14	78	142	206
15	79	143	207
16	80	144	208
17	81	145	209
18	82	146	210
19	83	147	211
20	84	148	212
21	85	149	213
22	86	150	214
23	87	151	215
24	88	152	216
25	89	153	217
26	90	154	218
27	91	155	219
28	92	156	220
29	93	157	221
30	94	158	222
31	95	159	223
32	96	160	224
33	97	161	225
34	98	162	226
35	99	163	227
36	100	164	228
37	101	165	229
38	102	166	230
39	103	167	231
40	104	168	232
41	105	169	233
42	106	170	234
43	107	171	235
44	108	172	236
45	109	173	237
46	110	174	238
47	111	175	239
48	112	176	240
49	113	177	241
50	114	178	242
51	115	179	243
52	116	180	244
53	117	181	245
54	118	182	246
55	119	183	247
56	120	184	248
57	121	185	249
58	122	186	250
59	123	187	251
60	124	188	252
61	125	189	253
62	126	190	254
63	127	191	255

Figura 3-3. Valores de gris de 0 a 255

Ejemplo 3-14: pinta con grises

Este ejemplo muestra tres valores de gris distintos sobre un fondo negro:

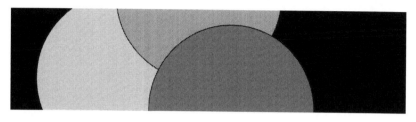

```
function setup() {
  createCanvas(480, 120);
}

function draw() {
  background(0);                 // Negro
  fill(204);                     // Gris claro
  ellipse(132, 82, 200, 200);    // Círculo gris claro
  fill(153);                     // Gris medio
  ellipse(228, -16, 200, 200);   // Círculo gris medio
  fill(102);                     // Gris oscuro
  ellipse(268, 118, 200, 200);   // Círculo gris oscuro
}
```

Ejemplo 3-15:controla el relleno y el color del trazo

Puedes usar la función noStroke() para desactivar el trazo y así no dibujar el borde, y puedes desactivar el relleno de una figura con noFill():

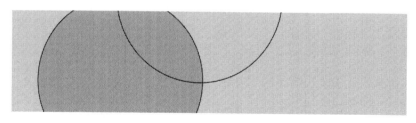

```
function setup() {
  createCanvas(480, 120);
}

function draw() {
```

```
  background(204);
  fill(153);                        // Gris medio
  ellipse(132, 82, 200, 200);       // Círculo gris
  noFill();                         // Desactivar relleno
  ellipse(228, -16, 200, 200);      // Borde de círculo
  noStroke();                       // Desactivar trazo
  ellipse(268, 118, 200, 200);      // No hay dibujo
}
```

Ten cuidado de no desactivar el relleno y el trazo al mismo tiempo, como lo hicimos en el ejemplo anterior, porque nada será dibujado en la pantalla.

Ejemplo 3-16: dibuja con color

Para ir más allá de la escala de grises, usa tres parámetros para espeficar los componentes de color rojo, verde y azul. Como este libro está impreso en blanco y negro, solamente verás valores grises. Ejecuta el código para revelar los colores:

```
function setup() {
  createCanvas(480, 120);
  noStroke();
}

function draw() {
  background(0, 26, 51);            // Color azul oscuro
  fill(255, 0, 0);                  // Color rojo
  ellipse(132, 82, 200, 200);       // Círculo rojo
  fill(0, 255, 0);                  // Color verde
  ellipse(228, -16, 200, 200);      // Círculo verde
  fill(0, 0, 255);                  // Color azul
  ellipse(268, 118, 200, 200);      // Círculo azul
}
```

Los colores en el ejemplo son llamados *color RGB*, que corresponde a la forma en que los computadores definen el color en la pantalla. Los tres números definen los valores de rojo, verde y azul, y varían entre 0 y 255 de la misma forma que los valores de gris. Estos tres números son los parámetros para tus funciones de background(), fill(), y stroke().

Ejemplo 3-17: define la transparencia

Al añadir un cuarto parámetro a fill() o stroke(), puedes controlar la transparencia. Este cuarto parámetro es conocido como el valor alpha, y también usa el rango entre 0 y 255 para definir la cantidad de transparencia. El valor 0 define el color como totalmente transparente (no será mostrado en la pantalla), el valor 255 es enteramente opaco, y los valores entre estos extremos hacen que los colores se mezclen en la pantalla:

```
function setup() {
  createCanvas(480, 120);
  noStroke();
}

function draw() {
  background(204, 226, 225);    // Color azul claro
  fill(255, 0, 0, 160);         // Color rojo
  ellipse(132, 82, 200, 200);   // Círculo rojo
  fill(0, 255, 0, 160);         // Color verde
  ellipse(228, -16, 200, 200);  // Círculo verde
  fill(0, 0, 255, 160);         // Color azul
  ellipse(268, 118, 200, 200);  // Círculo azul
}
```

Figuras personalizadas

No estás limitado a usar estas figuras geométricas básicas — también puedes dibujar nuevas formas conectando una serie de puntos.

Ejemplo 3-18: dibuja una flecha

La función `beginShape()` señala el comienzo de una nueva figura. La función `vertex()` es usada para definir cada par de coordenadas *x* e *y* de la figura. Finalmente, `endShape()` señala que la figura está completa:

```
function setup() {
  createCanvas(480, 120);
}

function draw() {
  background(204);
  beginShape();
  vertex(180, 82);
  vertex(207, 36);
  vertex(214, 63);
  vertex(407, 11);
  vertex(412, 30);
  vertex(219, 82);
  vertex(226, 109);
  endShape();
}
```

Example 3-19: cierra la flecha

Cuando ejecutas el Ejemplo 3-18, verás que el primer y el último punto no están conectados. Para hacer esto, añade la palabra CLOSE (significa CERRAR) como parámetro a la función `endShape()`, así:

```
function setup() {
  createCanvas(480, 120);
}

function draw() {
  background(204);
  beginShape();
  vertex(180, 82);
  vertex(207, 36);
  vertex(214, 63);
  vertex(407, 11);
  vertex(412, 30);
  vertex(219, 82);
  vertex(226, 109);
  endShape(CLOSE);
}
```

Ejemplo 3-20: crea criaturas

El poder de definir figuras con vertex() es la posibilidad de construir figuras con bordes complejos. p5.js puede dibujar miles y miles de líneas al mismo tiempo para llenar la pantalla con figuras fantásticas que provienen de tu imaginación. Un ejemplo modesto pero más complejo es presentado a continuación:

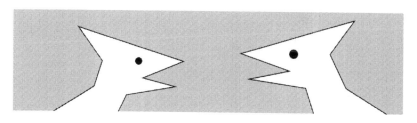

```
function setup() {
  createCanvas(480, 120);
}

function draw() {
  background(204);

  // Criatura izquierda
  beginShape();
  vertex(50, 120);
```

```
vertex(100, 90);
vertex(110, 60);
vertex(80, 20);
vertex(210, 60);
vertex(160, 80);
vertex(200, 90);
vertex(140, 100);
vertex(130, 120);
endShape();
fill(0);
ellipse(155, 60, 8, 8);

// Criatura derecha
fill(255);
beginShape();
vertex(370, 120);
vertex(360, 90);
vertex(290, 80);
vertex(340, 70);
vertex(280, 50);
vertex(420, 10);
vertex(390, 50);
vertex(410, 90);
vertex(460, 120);
endShape();
fill(0);
ellipse(345, 50, 10, 10);
}
```

Comentarios

Los ejemplos en este capítulo usan doble barra (//) al comienzo de una
línea para añadir comentarios al código. Los *comentarios* son secciones de
los programas que son ignoradas cuando el programa se ejecuta. Son útiles
para hacerte notas a ti mismo que expliquen lo que está pasando en el
código. Si otras personas están leyendo tu código, los comentarios son
especialmente importantes para ayudarles a entender tu proceso mental.

Los comentarios son también especialmente útiles para un número de
opciones distintas, como tratar de escoger el color correcto. Por ejemplo,
podríamos estar tratando de encontrar el rojo preciso que queremos para

una elipse:

```
function setup() {
  createCanvas(200, 200);
}

function draw() {
  background(204);
  fill(165, 57, 57);
  ellipse(100, 100, 80, 80);
}
```

Ahora supón que quieres probar un rojo distinto, pero no quieres perder el antiguo. Puedo copiar y pegar la línea, hacer un cambio y luego comentar la línea antigua de código:

```
function setup() {
  createCanvas(200, 200);
}

function draw() {
  background(204);
  //fill(165, 57, 57);
  fill(144, 39, 39);
  ellipse(100, 100, 80, 80);
}
```

Poner // al principio de una línea la anula temporalmente. También puedes quitar // y escribirlo al inicio de otra línea si quieres probarla de nuevo:

```
function setup() {
  createCanvas(200, 200);
}

function draw() {
  background(204);
  fill(165, 57, 57);
  //fill(144, 39, 39);
  ellipse(100, 100, 80, 80);
}
```

A medida que trabajas con bosquejos de p5.js, te encontrarás a ti mismo creando docenas de iteraciones de ideas; usar comentarios para hacer notas o para desactivar líneas de códigos puede ayudarte a mantener registro de tus múltiples opciones.

Robot 1: dibuja

Este es P5, el robot de p5.js. En este libro existen 10 diferentes programas para dibujarlo y animarlo - cada uno explora una idea de programación diferente. El diseño de P5 está inspirado en Sputnik I (1957), Shakey del Stanford Research Institute (1966–1972), el dron luchador en *Dune* (1984) de David Lynch y en HAL 9000 de *2001: A Space Odyssey* (1968), entre otros robots favoritos.

El primer programa de robot usa las funciones de dibujo introducidas anteriormente en este capítulo. Los parámetros de las funciones fill() y stroke() definen los valores de la escala de grises. Las funciones line(), ellipse() y rect() definen las figuras que crean el cuello, las antenas, el cuerpo y la cabeza del robot. Para familiarizarte mejor con las funciones, ejecuta el programa y cambia los valores para rediseñar el robot:

```
function setup() {
  createCanvas(720, 480);
  strokeWeight(2);
  ellipseMode(RADIUS);
}
```

```
function draw() {
  background(204);

  // Cuello
  stroke(102);                      // Hace gris el trazo
  line(266, 257, 266, 162);         // Izquierda
  line(276, 257, 276, 162);         // Centro
  line(286, 257, 286, 162);         // Derecha

  // Antenas
  line(276, 155, 246, 112);         // Pequeña
  line(276, 155, 306, 56);          // Larga
  line(276, 155, 342, 170);         // Mediana

  // Cuerpo
  noStroke();                       // Desactiva trazo
  fill(102);                        // Hace gris el relleno
  ellipse(264, 377, 33, 33);        // Globo antigravitacional
  fill(0);                          // Hace negro el relleno
  rect(219, 257, 90, 120);          // Cuerpo principal
  fill(102);                        // Hace gris el relleno
  rect(219, 274, 90, 6);            // Raya gris

  // Cabeza
  fill(0);                          // Hace negro el relleno
  ellipse(276, 155, 45, 45);        // Cabeza
  fill(255);                        // Hace blanco el relleno
  ellipse(288, 150, 14, 14);        // Ojo grande
  fill(0);                          // Hace negro el relleno
  ellipse(288, 150, 3, 3);          // Pupila
  fill(153);                        // Hace gris claro el relleno
  ellipse(263, 148, 5, 5);          // Ojo pequeño 1
  ellipse(296, 130, 4, 4);          // Ojo pequeño 2
  ellipse(305, 162, 3, 3);          // Ojo pequeño 3
}
```

Bucle de dumplings

Variables

Una *variable* almacena en la memoria un valor para su uso posterior en un programa. Una variable puede ser usada muchas veces dentro de un mismo programa, y el valor puede ser fácilmente modificado mientras el programa está siendo ejecutado.

Primeras variables

La razón principal por la que usamos variables es para evitar repetirnos en el código. Si estás escribiendo el mismo número una y otra vez, considera usar una variable para que tu código sea más general y más fácil de actualizar.

Ejemplo 4-1: reusa los mismos valores

Por ejemplo, cuando haces variables la coordenada *y* y el diámetro para los tres círculos de este ejemplo, se usan los mismos valores para cada elipse:

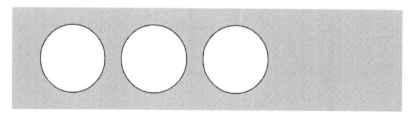

```
var y = 60;
var d = 80;

function setup() {
  createCanvas(480, 120);
}
```

```
function draw() {
  background(204);
  ellipse(75, y, d, d);    // Izquierda
  ellipse(175, y, d, d);   // Centro
  ellipse(275, y, d, d);   // Derecha
}
```

Ejemplo 4-2: modifica los valores

Simplemente modificando las variables *y* y *d* altera las tres elipses:

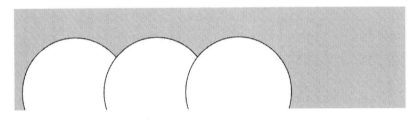

```
var y = 100;
var d = 130;

function setup() {
  createCanvas(480, 120);
}

function draw() {
  background(204);
  ellipse(75, y, d, d);    // Izquierda
  ellipse(175, y, d, d);   // Centro
  ellipse(275, y, d, d);   // Derecha
}
```

Si no tuvieras variables, tendrías que cambiar tres veces la coordenada *y* usada en el código y seis veces el diámetro. Comparando los ejemplos 4-1 y 4-2, observa cómo todas las líneas son iguales, excepto las dos primeras líneas con variables. Las variables te permiten separar las líneas de código que cambian de las que no cambian, lo que hace que los programas sean fáciles de modificar. Por ejemplo, si pones las variables que controlan colores y tamaños en un lugar, puedes explorar diferentes opciones visuales enfocándote en sólo unas pocas líneas de código.

Hacer variables

Cuando haces tus propias variables, puedes determinar el *nombre* y el *valor*. Tú decides cómo se llama la variable. Escoge un nombre que sea indicativo de lo que está almacenado en la variable, pero hazlo consistente y no muy largo. Por ejemplo, el nombre de variable "radio" será mucho más claro que "r" cuando leas tu código.

Las variables primero deben ser *declaradas*, lo que reserva espacio en la memoria del computador para almacenar la información. Cuando declaras una variable, usas la palabra var, para indicar que estás creando una nueva variable, seguida del nombre. Después de que el nombre es fijado, se le puede asignar un valor a la variable:

```
var x;   // Declara la variable x
x = 12;  // Asigna un valor a x
```

Este código hace lo mismo, pero es más corto:

```
var x = 12;  // Declara la variable x y le asigna un valor
```

Los caracteres var en la línea de código que declara la variable, pero no son escritos de nuevo. Cada vez que se escribe var antes del nombre de una variable, el computador piensa que estás tratando de declarar una nueva variable. No puedes tener dos variables con el mismo nombre en la misma sección del programa (Apéndice C), ya que el programa podría comportarse extrañamente:

```
var x;        // Declara la variable x
var x = 12;   // ¡ERROR! Ya existe una variable x
```

Puedes situar tus variables fuera de setup() y draw(). Si creas una variable dentro de setup(), no puedes usarla dentro de draw(), así que necesitas situar estas variables en otro lugar. Estas variables reciben el nombre de *variables globales*, porque pueden ser usadas en cualquier parte ("globalmente") del programa.

Variables de p5.js

p5.js posee una serie de variables especiales para almacenar información sobre el programa mientras se ejecuta. Por ejemplo, el ancho y la altura del lienzo se almacenan en las variables width y height. Estos valores son definidos por la función createCanvas(). Pueden ser usados para dibujar

elementos relativos al tamaño del lienzo, incluso si la línea de código
createCanvas() es modificada.

Ejemplo 4-3: ajusta el lienzo, observa lo que sucedes

En este ejemplo, modifica los parámetros de createCanvas() para observar
cómo funciona:

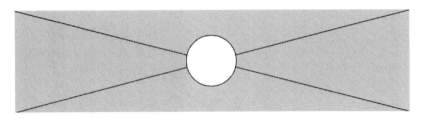

```
function setup() {
  createCanvas(480, 120);
}

function draw() {
  background(204);
  line(0, 0, width, height);  // Línea desde (0,0) a (480, 120)
  line(width, 0, 0, height);  // Línea desde (480,0) a (0, 120)
  ellipse(width/2, height/2, 60, 60);
}
```

Existen también variables especiales que mantienen registro del estado del
ratón y de los valores del teclado, entre otras. Serán discutidas en 5/
Respuesta.

Un poco de matemáticas

La gente a menudo asume que las matemáticas y la programación son lo
mismo. Aunque un poco de conocimiento de matemáticas puede ser útil
para ciertos tipos de programación, la aritmética básica alcanza para cubrir
lo más importante.

Ejemplo 4-4: aritmética básica

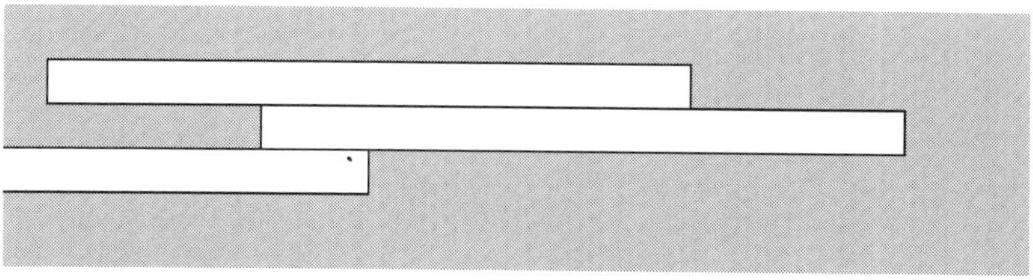

```
var x = 25;
var h = 20;
var y = 25;

function setup() {
  createCanvas(480, 120);
}

function draw() {
  background(204);
  x = 20;
  rect(x, y, 300, h);          // Superior
  x = x + 100;
  rect(x, y + h, 300, h);      // Central
  x = x - 250;
  rect(x, y + h*2, 300, h);    // Inferior
}
```

En el código, símbolos como +, - y * son llamados *operadores*. Cuando se encuentran entre dos valores, crean una *expresión*. Por ejemplo, 5 + 9 y 1024 - 512 son expresiones. Los operadores para operaciones matemáticas básicas son:

+	Suma
–	Resta
*	Multiplicación
/	División
=	Asignación

JavaScript posee un conjunto de reglas para definir el orden de precedencia que los operadores tienen entre sí, lo que significa, cuáles cálculos son efectuados en primer, segundo y tercer lugar, etc. Estas reglas definen el orden en el que el código se ejecuta. Un poco de conocimiento sobre esto es un gran avance hacia el entendimiento de cómo funciona una línea de código corta como esta:

```
var x = 4 + 4 * 5; // Se le asigna el valor 24 a x
```

La expresión 4 * 5 es evaluada primero porque la multiplicación tiene la prioridad más alta. Luego, se le suma 4 al producto 4 * 5, resultando 24. Finalmente, como el *operador de asignación* (el signo *igual*) tiene la menor predecencia, el valor 24 es asignado a la variable *x*. Esto se puede aclarar con el uso de paréntesis, pero el resultado es el mismo:

```
var x = 4 + (4 * 5); // Se le asigna el valor 24 a x
```

Si quieres forzar que la suma ocurra primero, usa paréntesis. Como los paréntesis tienen mayor precedencia que la multiplicación, al cambiar los paréntesis de lugar se cambia el cálculo efectuado:

```
var x = (4 + 4) * 5; // Se le asigna el valor 40 a x
```

En clases de matemáticas se enseña un acrónimo para este orden: PEMDAS, que significa Paréntesis, Exponentes, Multiplicación, División, Adición, Substracción, donde los paréntesis tienen la mayor prioridad y la substracción la menor. El orden completo de operaciones se encuentra en el Apéndice B.

Algunos cálculos son usados tan frecuentemente en programación que se han elaborado atajos, lo que es útil para ahorrar tiempo al escribir. Por ejemplo, puedes sumar a o restar una variable con un solo operador:

```
x += 10; // Es equivalente a x = x + 10
y -= 15; // Es equivalente a y = y - 15
```

También es común sumar o restar 1 a una variable, así que también existe un atajo. Los operadores ++ y -- operators hacen esto:

```
x++; // Es equivalente a x = x + 1
y--; // Es equivalente a y = y - 1
```

Repetición

A medida que escribas más programas, te darás cuenta de que ocurren patrones al repetir líneas de código con pequeñas modificaciones. Una estructura de código llamada bucle for hace posible que una línea de código se ejecute más de una vez, condensando el tipo de repetición a unas pocas líneas de código. Esto hace que tus programas sean más modulares y fáciles de modificar.

Ejemplo 4-5: haz lo mismo una y otra vez

Este ejemplo tiene el tipo de patrón que puede ser simplificado con un bucle for:

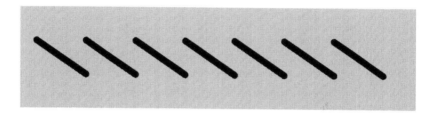

```
function setup() {
  createCanvas(480, 120);
  strokeWeight(8);
}

function draw() {
  background(204);
  line(20, 40, 80, 80);
  line(80, 40, 140, 80);
  line(140, 40, 200, 80);
  line(200, 40, 260, 80);
  line(260, 40, 320, 80);
  line(320, 40, 380, 80);
  line(380, 40, 440, 80);
}
```

Ejemplo 4-6: usar un bucle for

Se puede lograr lo mismo con un bucle for, y con mucho menos código:

```
function setup() {
  createCanvas(480, 120);
  strokeWeight(8);
}
```

```
function draw() {
  background(204);
  for (var i = 20; i < 400; i += 60) {
    line(i, 40, i + 60, 80);
  }
}
```

El bucle for es distinto en muchas maneras del código que hemos escrito hasta ahora. Fíjate en las llaves, los caracteres { y }. El código entre las llaves se llama *bloque*. Este es el código que será repetido en cada iteración del bucle for.

Dentro de los paréntesis hay tres declaraciones, separadas por punto y coma, que funcionan en conjunto para controlar cuántas veces se ejecuta el código dentro del bloque. De izquierda a derecha, estas declaraciones son llamadas la *inicialización* (inic), la *prueba*, y el *refresco*:

```
for (inic; prueba; refresco) {
  //instrucciones
}
```

inic típicamente declara una variable nueva a ser usada en el bucle for y le asigna un valor. El nombre de variable i se usa frecuentemente, pero no tiene nada de especial. La *prueba* evalúa el valor de esta variable, y el *refresco* cambia el valor de la variable. Figura 4-1 muestra el orden en el que el código se ejecuta y cómo se controla el código dentro del bloque.

```
for (inic; prueba; actualizar) {
  declaraciones
}
```

Figura 4-1. Diagrama de flujo de un bucle for

La instrucción *prueba* requiere más explicación. Siempre es una *expresión de relación* que compara dos valores con un *operador relacional*. En este ejemplo, la expresión es "i < 400" y el operador es el símbolo < (menor que).

Los operadores relacionales más comunes son:

>	Mayor que
<	Menor que
>=	Mayor o igual que
<=	Menor o igual que
==	Igual
!=	Distinto de

Una expresión relacional siempre evalua a `true` (verdadero) o `false` (falso). Por ejemplo, la expresión 5 > 3 es `true`. Preguntamos, "¿es cinco mayor que tres?" Como la respuesta es "sí," decimos que la expresión es `true`. Para la expresión 5 < 3, preguntamos, "¿es cinco menor que tres?" Como la respuesta es "no," decimos que la expresión es `false`. Cuando la evaluación es `true`, se ejecuta el código dentro del bloque, y cuando es `false`, el código dentro del bloque no se ejecuta y el bucle `for` termina.

Ejemplo 4-7: probando los bucles for

El poder definitivo que entregan los bucles `for` es la habilidad de hacer cambios rápidos a tu código. Como el código dentro del bloque es ejecutado típicamente múltiples veces, un cambio al bloque es magnificado cuando el código es ejecutado. Al modificar Ejemplo 4-6 ligeramente, podemos crear una variedad de patrones distintos:

```
function setup() {
  createCanvas(480, 120);
  strokeWeight(2);
}
```

```
function draw() {
  background(204);
  for (var i = 20; i < 400; i += 8) {
    line(i, 40, i + 60, 80);
  }
}
```

Ejemplo 4-8: desplegando las líneas

```
function setup() {
  createCanvas(480, 120);
  strokeWeight(2);
}

function draw() {
  background(204);
  for (var i = 20; i < 400; i += 20) {
    line(i, 0, i + i/2, 80);
  }
}
```

Ejemplo 4-9: modificando las líneas

```
function setup() {
  createCanvas(480, 120);
  strokeWeight(2);
```

```
}

function draw() {
  background(204);
  for (var i = 20; i < 400; i += 20) {
    line(i, 0, i + i/2, 80);
    line(i + i/2, 80, i*1.2, 120);
  }
}
```

Ejemplo 4-10: anidando un bucle for dentro de otro

Cuando un bucle for es anidado dentro de otro, el número de repeticiones
se multiplica. Primero veamos un ejemplo corto y luego revisaremos sus
partes en Ejemplo 4-11:

```
function setup() {
  createCanvas(480, 120);
  noStroke();
}

function draw() {
  background(0);
  for (var y = 0; y <= height; y += 40) {
    for (var x = 0; x <= width; x += 40) {
      fill(255, 140);
      ellipse(x, y, 40, 40);
    }
  }
}
```

Ejemplo 4-11: filas y columnas

En este ejemplo, los bucles for están lado a lado, en vez de estar uno
anidado dentro de otro. El resultado muestra que un bucle for está

dibujando una columna de 4 círculos y el otro está dibujando una fila de 13 círculos:

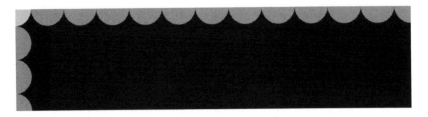

```
function setup() {
  createCanvas(480, 120);
  noStroke();
}

function draw() {
  background(0);
  for (var y = 0; y < height+45; y += 40) {
    fill(255, 140);
    ellipse(0, y, 40, 40);
  }
  for (var x = 0; x < width+45; x += 40) {
    fill(255, 140);
    ellipse(x, 0, 40, 40);
  }
}
```

Cuando uno de estos bucles for es puesto dentro del otro, como en el Ejemplo 4-10, las 4 repeticiones del primer bucle son combinadas con las 13 del segundo, para así ejecutar 52 veces (4×13 = 52) el código dentro del bloque combinado.

El Ejemplo 4-10 es una buena base para explorar muchos tipos de patrones visuales repetitivos. Los siguientes ejemplos muestran un par de maneras en que esto puede ser extendido, aunque esto es solamente una pequeña muestra de lo que es posible.

Ejemplo 4-12: alfileres y líneas

En este ejemplo, el código dibuja una línea entre cada punto de la matriz y el centro de la pantalla:

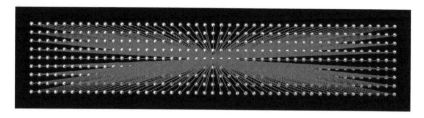

```
function setup() {
  createCanvas(480, 120);
  fill(255);
  stroke(102);
}

function draw() {
  background(0);
  for (var y = 20; y <= height-20; y += 10) {
    for (var x = 20; x <= width-20; x += 10) {
      ellipse(x, y, 4, 4);
      // Dibuja una línea al centro de la imagen
      line(x, y, 240, 60);
    }
  }
}
```

Ejemplo 4-13: puntos semitono

En este ejemplo, las elipses se reducen en tamaño en cada nueva fila y son movidas hacia la derecha, sumando la coordenada *y* con la coordenada *x*:

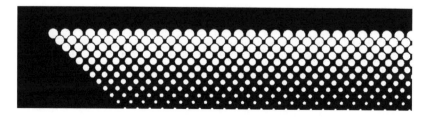

```
function setup() {
```

```
    createCanvas(480, 120);
}

function draw() {
  background(0);
  for (var y = 32; y <= height; y += 8) {
    for (var x = 12; x <= width; x += 15) {
      ellipse(x + y, y, 16 - y/10.0, 16 - y/10.0);
    }
  }
}
```

Robot 2: variables

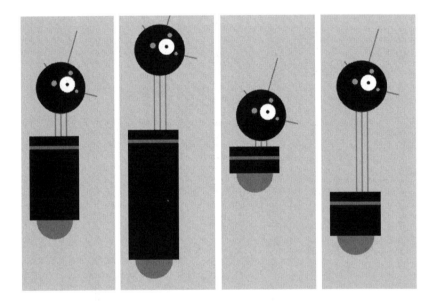

Las variables introducidas en este programa hacen que el código se vea más difícil que el de la Robot 1 (ver Robot 1: dibuja), pero ahora es mucho más simple hacer modificaciones, porque los números que dependen uno de otro están en una misma ubicación. Por ejemplo, el dibujo del cuello está basado en la variable neckHeight. El grupo de variables al principio del código controla los aspectos del robot que queremos cambiar: ubicación, altura del cuerpo y altura del cuello. Puedes observar algunas de las posibles variaciones posibles en la figura; de izquierda a derecha, aquí; están los valores correspondientes:

y = 390	y = 460	y = 310	y = 420
bodyHeight = 180	bodyHeight = 260	bodyHeight = 80	bodyHeight = 110
neckHeight = 40	neckHeight = 95	neckHeight = 10	neckHeight = 140

Cuando modifiques tu propio código para usar variables en vez de números, planea cuidadosamente los cambios y después realiza las modificaciones en incrementos graduales. Por ejemplo, cuando este programa fue escrito, cada variable fue creada a una a la vez para minimizar la complejidad de la transición. Solamente después de que una variable fuera creada y el código era ejecutado para asegurar que funcionara correctamente, se añadía una nueva variable:

```
var x = 60;            // Coordenada x
var y = 420;           // Coordenada y
var bodyHeight = 110;  // Altura del cuerpo
var neckHeight = 140;  // Altura del cuello
var radius = 45;
var ny = y - bodyHeight - neckHeight - radius;   // y del cuello

function setup() {
  createCanvas(170, 480);
  strokeWeight(2);
  ellipseMode(RADIUS);
}

function draw() {
  background(204);

  // Cuello
  stroke(102);
  line(x+2, y-bodyHeight, x+2, ny);
  line(x+12, y-bodyHeight, x+12, ny);
  line(x+22, y-bodyHeight, x+22, ny);

  // Antenas
  line(x+12, ny, x-18, ny-43);
  line(x+12, ny, x+42, ny-99);
  line(x+12, ny, x+78, ny+15);

  // Cuerpo
  noStroke();
  fill(102);
  ellipse(x, y-33, 33, 33);
  fill(0);
```

```
rect(x-45, y-bodyHeight, 90, bodyHeight-33);
fill(102);
rect(x-45, y-bodyHeight+17, 90, 6);

// Cabeza
fill(0);
ellipse(x+12, ny, radius, radius);
fill(255);
ellipse(x+24, ny-6, 14, 14);
fill(0);
ellipse(x+24, ny-6, 3, 3);
fill(153);
ellipse(x, ny-8, 5, 5);
ellipse(x+30, ny-26, 4, 4);
ellipse(x+41, ny+6, 3, 3);
}
```

MOUSE X

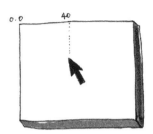

0.0   40

La variable MouseX almacena la coordenada X

mouse Y

0.0

30

La Variable mouseY almacena la coordenada y

mouse_Moved ( )

mouseIsPressed

Variable

mouse Dragged ( )

mouse Pressed ( )

funcion

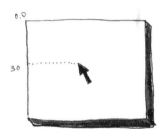

El ratón, aquí, es un dispositivo señalador bidimensional

Respuesta

El código que responde a acciones de entrada del ratón, teclado u otros dispositivos depende de la ejecución continua del programa. Ya nos enfrentamos a las funciones setup() y draw() en 1/Hola. Ahora aprenderemos más sobre qué hacen y cómo podemos usarlas para reaccionar a entradas al programa.

Una vez y para siempre

El código dentro del bloque draw() se ejecuta desde el principio hasta el final, luego se repite hasta que cierras el programa cuando cierras la ventana. Cada iteración de draw() se llama *cuadro*. (La tasa de cuadros por defecto es de 60 cuadros por segundo, pero esto puede ser modificado).

Ejemplo 5-1: la función draw()

Para ver cómo funciona el bloque draw(), ejecuta este ejemplo:

```
function draw() {
  // Muestra en la consola la cuenta de cuadros
  print("Estoy dibujando");
  print(frameCount);
}
```

Verás lo siguiente:

```
Estoy dibujando
1
Estoy dibujando
2
Estoy dibujando
3
...
```

En el programa de ejemplo anterior, las funciones print() escriben el texto "Estoy dibujando" seguido del contador actual de cuadros, tarea efectuada por la variable especial frameCount (1, 2, 3, ...). El texto aparece en la consola de tu navegador.

Ejemplo 5-2: la función setup()

Para complementar la función draw() en bucle, p5.js posee la función setup() que solo se ejecuta una vez cuando el programa empieza:

```
function setup() {
  print("Estoy empezando");
}

function draw() {
  print("Estoy corriendo");
}
```

Cuando corres este código, se escribe lo siguiente en la consola:

```
Estoy empezando
Estoy corriendo
Estoy corriendo
Estoy corriendo
...
```

El texto "Estoy corriendo" sigue escribiéndose en la consola hasta que el programa se detenga.

En algunos navegadores, en vez de escribir una y otra vez "Estoy corriendo", lo imprimirá solamente una vez, y después por cada vez adicional, incrementará un número junto a la línea, representando el número total de veces que la línea ha sido impresa sucesivamente.

En un programa típico, el código dentro de `setup()` es usado para definir las condiciones iniciales. La primera línea es usualmente la función `createCanvas()`, a menudo seguida de código para definir los colores de relleno y trazado iniciales. (Si no incluyes la función `createCanvas()`, el lienzo para dibujar tendrá por defecto una dimensión de 100x100 pixeles).

Ahora sabes cómo usar `setup()` y `draw()` en mayor detalle, pero esto no es todo.

Hay una ubicación adicional dónde has estado poniendo código — también puedes poner variables globales fuera de `setup()` y `draw()`. Esto se hace más claro cuando anotamos el orden en que el código es ejecutado:

1. Se crean las variables declaradas fuera de `setup()` y `draw()`.

2. Se ejecuta una vez el código dentro de `setup()`.

3. Se ejecuta continuamente el código dentro de `draw()`.

Ejemplo 5-3: setup(), te presento a draw()

El siguiente ejemplo pone en práctica todos estos conceptos:

```
var x = 280;
var y = -100;
var diameter = 380;

function setup() {
  createCanvas(480, 120);
  fill(102);
}

function draw() {
  background(204);
  ellipse(x, y, diameter, diameter);
}
```

Seguir

Como el código está ejecutándose continuamente, podemos seguir la posición del ratón y usar estos números para mover elementos en la pantalla.

Ejemplo 5-4: seguir al ratón

La variable mouseX almacena la coordenada *x*, y la variable mouseY almacena la coordenada *y*:

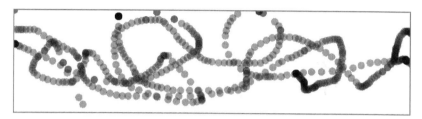

```
function setup() {
  createCanvas(480, 120);
  fill(0, 102);
  noStroke();
}

function draw() {
  ellipse(mouseX, mouseY, 9, 9);
}
```

En este ejemplo, cada vez que se ejecuta el código del bloque draw(), se añade un nuevo círculo al lienzo. Esta imagen fue hecha moviendo el ratón para controlar la posición del círculo. Como la función de relleno está configurada para ser parcialmente transparente, las áreas negras más densas muestran dónde el ratón estuvo más tiempo o se movió más lento. Los círculos que están más separados muestran dónde el ratón estuvo moviéndose más rápido.

Ejemplo 5-5: el punto te persigue

En este ejemplo, se añade un nuevo círculo al lienzo cada vez que el código dentro de draw() se ejecuta. Para refrescar la pantalla y solamente mostrar el círculo más reciente, escribe la función background() al principio del bloque draw() antes de que la figura sea dibujada:

```
function setup() {
  createCanvas(480, 120);
  fill(0, 102);
  noStroke();
}

function draw() {
  background(204);
  ellipse(mouseX, mouseY, 9, 9);
}
```

La función background() pinta el lienzo completo, así que asegúrate de ponerlo antes que las otras funciones dentro de draw(); si no haces esto, las figuras dibujadas previamente serán borradas.

Ejemplo 5-6: dibuja de forma continua

Las variables pmouseX y pmouseY almacenan la posición del ratón en el cuadro anterior. Al igual que mouseX y mouseY, estas variables especiales son actualizadas cada vez que se ejecuta draw(). Al combinarlas, pueden ser usadas para dibujar líneas continuas al conectar las posiciones actual y más reciente:

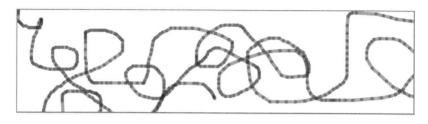

```
function setup() {
  createCanvas(480, 120);
  strokeWeight(4);
  stroke(0, 102);
}

function draw() {
  line(mouseX, mouseY, pmouseX, pmouseY);
}
```

Ejemplo 5-7: define el grosor sobre la marcha

Las variables pmouseX y pmouseY también pueden ser usadas para calcular la velocidad del ratón. Esto se hace midiendo la distancia entre la posición actual y la más reciente del ratón. Si el ratón se mueve lentamente, la distancia es pequeña, pero si se empieza a mover más rápido, la distancia se incrementa. Una función llamada dist() simplifica este cálculo, como se muestra en el siguiente ejemplo. Aquí, la velocidad del ratón es usada para definir el grosor de la línea dibujada:

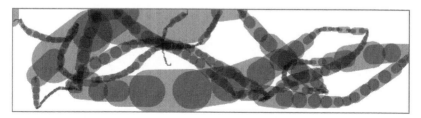

```
function setup() {
  createCanvas(480, 120);
  stroke(0, 102);
}

function draw() {
  var weight = dist(mouseX, mouseY, pmouseX, pmouseY);
  strokeWeight(weight);
  line(mouseX, mouseY, pmouseX, pmouseY);
}
```

Ejemplo 5-8: suavizado

En el Ejemplo 5-7, los valores del ratón son convertidos directamente en posiciones en la pantalla. Pero a veces queremos que estos valores sigan al ratón más libremente - que se queden atrás para crear un movimiento más fluido. Esta técnica se llama *suavizado*. En el suavizado, hay dos valores: el valor actual y el valor objetivo (ver Figura 5-1). En cada paso del programa, el valor actual se acerca un poco más al valor objetivo:

```
var x = 0;
var suavizado = 0.01;

function setup() {
  createCanvas(220, 120);
}

function draw() {
  var objetivoX = mouseX;
  x += (objetivoX - x) * suavizado;
  ellipse(x, 40, 12, 12);
  print(objetivoX + " : " + x);
}
```

El valor de la variable x siempre se está acercando a objetivoX. La velocidad con la que se acerca a objetivoX es definida por la variable de suavizado, un número entre 0 y 1. Un valor pequeño de suavizado causa más retraso que un valor más grande. Con un valor de suavizado de 1, no hay retraso. Cuando ejecutas el Ejemplo 5-8, los valores son mostrados en la consola a través de la función print(). Cuando mueves el ratón, observa cómo los números están alejados, pero cuando dejas de moverlo, el valor de x se acerca al valor de objetivoX.

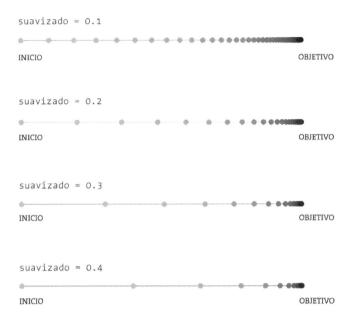

suavizado = 0.1

INICIO   OBJETIVO

suavizado = 0.2

INICIO   OBJETIVO

suavizado = 0.3

INICIO   OBJETIVO

suavizado = 0.4

INICIO   OBJETIVO

Figura 5-1. El suavizado cambia el número de pasos necesarios para ir de un lugar a otro

Todo el trabajo en este ejemplo ocurre en la línea que empieza con x +=. Ahí, se calcula la diferencia entre el valor objetivo y el actual, y luego es multiplicada por la variable suavizado y sumada a x para acercarla más al objetivo.

Ejemplo 5-9: suaviza las líneas

En este ejemplo, la técnica de suavizado es aplicada al Ejemplo 5-7. En comparación, las líneas son más fluidas:

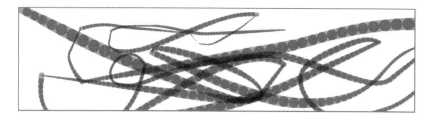

```
var x = 0;
var y = 0;
var px = 0;
var py = 0;
var suavizado = 0.05;

function setup() {
  createCanvas(480, 120);
  stroke(0, 102);
}

function draw() {
  var objetivoX = mouseX;
  x += (objetivoX - x) * suavizado;
  var objetivoY = mouseY;
  y += (objetivoX - y) * suavizado;
  var peso = dist(x, y, px, py);
  strokeWeight(peso);
  line(x, y, px, py);
  py = y;
  px = x;
}
```

Click

Además de la ubicación del ratón, p5.js también mantiene registro de si el botón del ratón es presionado o no. La variable mouseIsPressed tiene un valor distinto cuando el botón del ratón está presionado. La variable mouseIsPressed es una variable booleana, lo que significa que solo tiene dos valores posibles: true (verdadero) y false (falso). El valor de mouseIsPressed es true cuando un botón está siendo presionado.

Ejemplo 5-10: haz click con el ratón

La variable mouseIsPressed es usada en conjunto con la declaración if para determinar si una línea de código será ejecutada o no. Prueba este ejemplo antes de que sigamos explicando:

```
function setup() {
  createCanvas(240, 120);
  strokeWeight(30);
}

function draw() {
  background(204);
  stroke(102);
  line(40, 0, 70, height);
  if (mouseIsPressed == true) {
    stroke(0);
  }
  line(0, 70, width, 50);
}
```

En este programa, el código dentro del bloque if solamente se ejecuta cuando se presiona un botón del ratón. Cuando no se presiona un botón, el código es ignorado. Tal como el bucle for discutido en Repetición, el bloque if también tiene una prueba que es evaluada a true o false:

```
if (prueba) {
  instrucciones
}
```

Cuando la prueba es true, el código dentro del bloque se ejecuta; cuando es false, el código dentro del bloque no se ejecuta. El computador determina si la prueba es true o false al evaluar la expresión dentro de los paréntesis. (Si quieres refrescar tu memoria, el Ejemplo 4-6 discute en mayor detalle las expresiones relacionales).

El símbolo == compara los valores a la izquierda y a la derecha para probar si son equivalentes o no. El símbolo == es distinto del operador de asignación, el símbolo unitario =. El símbolo == pregunta, "¿son estos elementos iguales?" mientras que el símbolo = define el valor de una variable.

Es un error común, incluso de programadores avanzados, escribir = en el código en lugar de ==. p5.js no siempre te advertirá cuándo lo hagas, así que sé cuidadoso.

De forma alternativa, la prueba en draw( ) se puede escribir así:

```
if (mouseIsPressed) {
```

Las variables boolean, incluyendo a mouseIsPressed, no necesitan la comparación explícita con el operador ==, porque su valor solamente puede ser true o false.

Ejemplo 5-11: detección de no hacer click

Un bloque if te da la oportunidad de ejecutar una porción de código o de
ignorarla. Puedes extender la funcionalidad del bloque if con un bloque
else, permitiendo que tu programa escoja entre dos opciones. El código
dentro del bloque else se ejecuta cuando el valor de la prueba del bloque
if es false. Por ejemplo, el color de trazado de un programa puede ser
blanco cuando el botón del ratón no es presionado y puede cambiar a negro
cuando sí es presionado:

```
function setup() {
  createCanvas(240, 120);
  strokeWeight(30);
}

function draw() {
  background(204);
  stroke(102);
  line(40, 0, 70, height);
  if (mouseIsPressed) {
    stroke(0);
  } else {
    stroke(255);
  }
  line(0, 70, width, 50);
}
```

Ejemplo 5-12: múltiples botones del ratón

p5.js también lleva registro de qué botón del ratón es presionado, si es que tienes más de uno en tu ratón. La variable mouseButton puede tener uno de estos tres valores: LEFT (izquierdo), CENTER (centro), o RIGHT (derecho). Para revisar cuál botón es presionado, se necesita el operador ==, como se muestra a continuación:

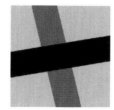

```
function setup() {
  createCanvas(120, 120);
  strokeWeight(30);
}

function draw() {
  background(204);
  stroke(102);
  line(40, 0, 70, height);
  if (mouseIsPressed) {
    if (mouseButton == LEFT) {
      stroke(255);
    } else {
      stroke(0);
    }
    line(0, 70, width, 50);
  }
}
```

Un programa puede tener muchos más bloques if y else (ver Figura 5-2) que los encontrados en estos ejemplos cortos. Pueden ser concatenadas en una larga serie con distintas pruebas, y los bloques if pueden estar anidados dentro de otros bloques if para tomar decisiones más complejas.

```
if (prueba) {
  declaraciones
}
```

```
if (prueba) {
  declaraciones 1
} else {
  declaraciones 2
}
```

```
if (prueba 1) {
  declaraciones 1
} else if (prueba 2) {
  declaraciones 2
}
```

Figura 5-2. La estructura if y else toma decisiones sobre cuáles bloques de código se ejecutarán.

Ubicación

Una estructura if puede ser usada con los valores mouseX y mouseY para determinar la ubicación del cursor dentro de la ventana.

Ejemplo 5-13: encuentra el cursor

En este ejemplo, buscamos el cursor para revisar si está a la izquierda o a la derecha de una línea y luego movemos la línea hacia el cursor:

```
var x;
var offset = 10;

function setup() {
  createCanvas(240, 120);
  x = width/2;
}

function draw() {
  background(204);
  if (mouseX > x) {
    x += 0.5;
    offset = -10;
  }
  if (mouseX < x) {
    x -= 0.5;
    offset = 10;
  }
  // Dibuja flecha izquierda o derecha según el valor "offset"
  line(x, 0, x, height);
  line(mouseX, mouseY, mouseX + offset, mouseY - 10);
  line(mouseX, mouseY, mouseX + offset, mouseY + 10);
  line(mouseX, mouseY, mouseX + offset*3, mouseY);
}
```

Para escribir programas que tengan interfaces gráficas de usuario (botones, casillas, barras deslizadoras, etc.) necesitamos escribir código que sepa cuando el cursor está dentro de un área de la pantalla. Los siguientes dos ejemplos muestran cómo verificar si el cursor está dentro de un círculo y de un rectángulo. El código está escrito de forma modular y con variables, para que pueda ser usado para comprobar con *cualquier* círculo o rectángulo mediante la modificación de los valores.

Ejemplo 5-14: los bordes de un círculo

Para la prueba con el círculo, usamos la función dist() para obtener la distancia desde el centro del círculo al cursor, luego comprobamos si este valor es menor que el radio del círculo (ver Figura 5-3). Si lo es, sabemos que estamos dentro del círculo. En este ejemplo, cuando el cursor está dentro del área del círculo, su tamaño aumenta:

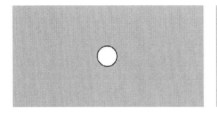 

```
var x = 120;
var y = 60;
var radio = 12;

function setup() {
  createCanvas(240, 120);
  ellipseMode(RADIUS);
}

function draw() {
  background(204);
  var d = dist(mouseX, mouseY, x, y);
  if (d < radio) {
    radio++;
    fill(0);
  } else {
    fill(255);
  }
  ellipse(x, y, radio, radio);
}
```

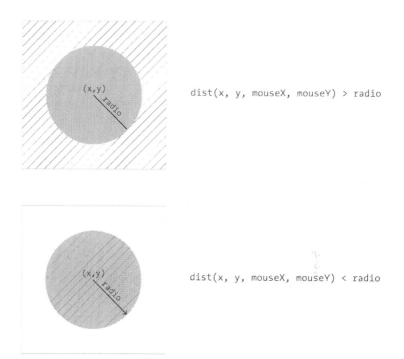

`dist(x, y, mouseX, mouseY) > radio`

`dist(x, y, mouseX, mouseY) < radio`

Figura 5-3. Prueba del círculo. Cuando la distancia entre el ratón y el círculo es menor que el radio, el ratón esta dentro del círculo.

Ejemplo 5-15: los bordes de un rectángulo

Usaremos otro enfoque para comprobar si el cursor está dentro de un rectángulo. Hacemos cuatro pruebas separadas para comprobar si el cursor está en el lado correcto de cada uno de los lados del rectángulo, luego comparamos cada resultado de las pruebas y si todas son true, entonces sabemos que el cursor está dentro. Esto es ilustrado en Figura 5-4. Cada uno de los pasos es simple, aunque se ven complicados al combinarlos:

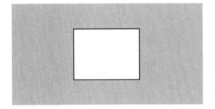 

```
var x = 80;
var y = 30;
var w = 80;
var h = 60;

function setup() {
  createCanvas(240, 120);
}

function draw() {
  background(204);
  if ((mouseX > x) && (mouseX < x+w) &&
      (mouseY > y) && (mouseY < y+h)) {
    fill(0);
  }
  else {
    fill(255);
  }
  rect(x, y, w, h);
}
```

La prueba en la declaración if es un poco más complicada que lo visto hasta el momento. Cuatro pruebas individuales (como mouseX > x) son combinadas con el operador lógico AND, el símbolo && , para asegurar que cada expresión relacional en la secuencia sea true. Si alguna de ellas es false, la prueba completa es false y el color de relleno no será negro.

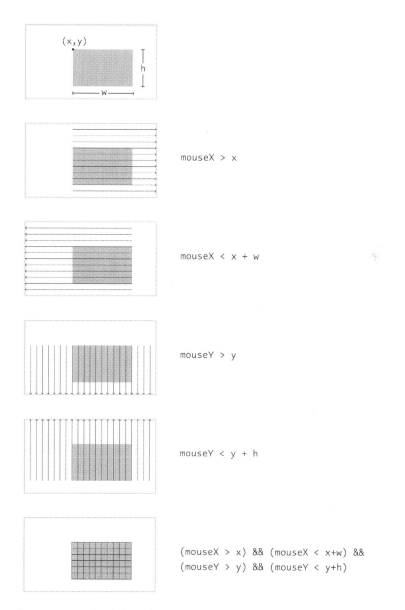

Figura 5-4. Prueba del rectángulo. Cuando se combinan las cuatro pruebas y resultan true, el cursor está dentro del rectángulo.

Tipo

p5.js mantiene el registro de cualquier tecla que sea presionada en el teclado, además de la última tecla presionada. Tal como la variable `mouseIsPressed`, la variable `keyIsPressed` es `true` cuando cualquier tecla es presionada, y es `false` cuando no hay teclas presionadas.

Ejemplo 5-16: presiona una tecla

En este ejemplo, la segunda línea solamente es dibujada cuando hay una tecla presionada:

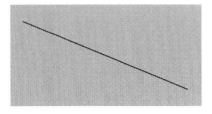 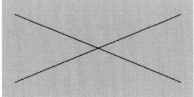

```
function setup() {
  createCanvas(240, 120);
}

function draw() {
  background(204);
  line(20, 20, 220, 100);
  if (keyIsPressed) {
    line(220, 20, 20, 100);
  }
}
```

La variable `key` almacena la tecla presionada más reciente. A diferencia de la variable boolean `keyIsPressed`, que se revierte a `false` cada vez que una tecla es soltada, la variable `key` mantiene su valor hasta que la siguiente tecla es presionada. El siguiente ejemplo usa el valor de `key` para dibujar el carácter en la pantalla. Cada vez que se presiona una tecla, el valor se actualiza y se dibuja un nuevo carácter. Algunas teclas, como Shift y Alt, no poseen un carácter visible, así que si las presionas, nada será dibujado.

Ejemplo 5-17: dibuja algunas letras

Este ejemplo presenta la función textSize() para definir el tamaño de las letras, la función textAlign() para centrar el texto en su coordenada x, y la función text() para dibujar las letras. Estas funciones serán discutidas en mayor detalle en Tipos de letra.

```
function setup() {
  createCanvas(120, 120);
  textSize(64);
  textAlign(CENTER);
  fill(255);
}

function draw() {
  background(0);
  text(key, 60, 80);
}
```

Usando una estructura if, podemos revisar si una tecla específica es presionada y elegir dibujar algo distinto en la pantalla a modo de respuesta.

Ejemplo 5-18: comprobar teclas específicas

En este ejemplo, revisamos si las teclas N o H son presionadas. Usamos el operador de comparación, el símbolo == , para revisar si el valor de la variable key es igual a los caracteres que estamos buscando:

```
function setup() {
  createCanvas(120, 120);
}

function draw() {
  background(204);
  if (keyIsPressed) {
    if ((key == 'h') || (key == 'H')) {
      line(30, 60, 90, 60);
    }
    if ((key == 'n') || (key == 'N')) {
      line(30, 20, 90, 100);
    }
  }
  line(30, 20, 30, 100);
  line(90, 20, 90, 100);
}
```

Cuando revisamos si está siendo presionada la tecla H o la N, necesitamos revisar tanto para las letras en mayúscula como en minúscula, en caso de que alguien presione la tecla Shift o tenga la función Caps Lock activada. Combinamos ambas pruebas con el operador lógico OR, el símbolo ||. Si traducimos la segunda instrucción if de este ejemplo a lenguaje plano, dice, "Si se presiona la tecla 'h' OR la tecla 'H'." A diferencia del operador lógico AND (el símbolo &&), solamente una de estas expresiones necesita ser true para que la prueba completa sea true.

Algunas teclas son más difíciles de detectar, porque no están asociadas a una letra en particular. Teclas como Shift, Alt, y las teclas de flecha están codificadas. Tenemos que revisar el código con la variable keyCode para saber qué tecla es. Los valores más frecuentes de keyCode son ALT, CONTROL, y SHIFT, además de las teclas de flechas, UP_ARROW (arriba), DOWN_ARROW (abajo), LEFT_ARROW (izquierda), y RIGHT_ARROW (derecha).

Ejemplo 5-19: mover con las flechas

El siguiente ejemplo muestra cómo usar las flechas izquierda y derecha para mover un rectángulo:

```
var x = 215;

function setup() {
  createCanvas(480, 120);
```

```
  }

function draw() {
  if (keyIsPressed) {
    if (keyCode == LEFT_ARROW) {
      x--;
    }
    else if (keyCode == RIGHT_ARROW) {
      x++;
    }
  }
  rect(x, 45, 50, 50);
}
```

Tacto

Para dispositivos que lo soportan, p5.js mantiene registo de si la pantalla es tocada y su ubicación. Usa la variable mouseIsPressed, que es true cuando la pantalla es tocada y false cuando no.

Ejemplo 5-20: toca la pantalla

En este ejemplo, la segunda línea es dibujada solo si la pantalla es tocada:

```
function setup() {
  createCanvas(240, 120);
}

function draw() {
  background(204);
  line(20, 20, 220, 100);
  if (mouseIsPressed) {
    line(220, 20, 20, 100);
  }
}
```

Las variables mouseX y mouseY almacenan las coordenadas *x* e *y* del punto donde la pantalla está siendo tocada.

Ejemplo 5-21: rastrea el dedo

En este ejemplo, un círculo nuevo es añadido al lienzo cada vez que se ejecuta el código en draw(). Para refrescar la pantalla y solamente mostrar el círculo más reciente, escribe la función background() al inicio de draw() antes de dibujar la figura:

```
function setup() {
  createCanvas(480, 120);
  fill(0, 102);
  noStroke();
}

function draw() {
  ellipse(mouseX, mouseY, 15, 15);
}
```

Mapeo

Los números que son creados por el ratón y por el teclado muchas veces necesitan ser modificados para ser útiles en un programa. Por ejemplo, si un bosquejo tiene un ancho de 1920 pixeles y los valores de mouseX son usados para definir el color del fondo, el rango de 0 a 1920 de mouseX necesitará ser escalado para moverse en un rango de 0 a 255 para controlar mejor el color. Esta transformación puede ser hecha con una ecuación o con una función llamada map().

Ejemplo 5-22: mapeo de valores a un rango

En este ejemplo, la ubicación de dos líneas es controlada por la variable mouseX. La línea gris está sincronizada con la posición del cursor, pero la línea negra se mantiene más cerca del centro de la pantalla y se aleja de la línea blanca en los bordes izquierdos y derechos:

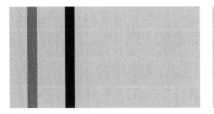 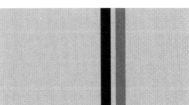

```
function setup() {
```

```
  createCanvas(240, 120);
  strokeWeight(12);
}

function draw() {
  background(204);
  stroke(102);
  line(mouseX, 0, mouseX, height);   // Línea gris
  stroke(0);
  var mx = mouseX/2 + 60;
  line(mx, 0, mx, height);   // Línea negra
}
```

La función map() es una manera más general de hacer este tipo de cambio. Convierte una variable desde un rango de valores a otro. El primer parámetro es la variable a ser convertida, el segundo y tercer valor son los valores mínimo y máximo de esa variable, y el cuarto y quinto son los valores mínimo y máximo deseados. La función map() esconde la matemática detrás de esta conversión.

Ejemplo 5-23: mapeo con la función map()

Este ejemplo reescribe el Ejemplo 5-22 usando map():

```
function setup() {
  createCanvas(240, 120);
  strokeWeight(12);
}

function draw() {
  background(204);
  stroke(255);
  line(120, 60, mouseX, mouseY); // Línea blanca
  stroke(0);
  var mx = map(mouseX, 0, width, 60, 180);
  line(120, 60, mx, mouseY); // Línea negra
}
```

La función map() hace que el código sea fácil de leer, porque los valores máximo y mínimo están claramente escritos como parámetros. En este ejemplo, los valores de mouseX entre 0 y width son convertidos a números entre 60 (cuando mouseX es 0) y 180 (cuando mouseX es width). Encontrarás esta útil función map() en muchos ejemplos a lo largo de este libro.

Robot 3: respuesta

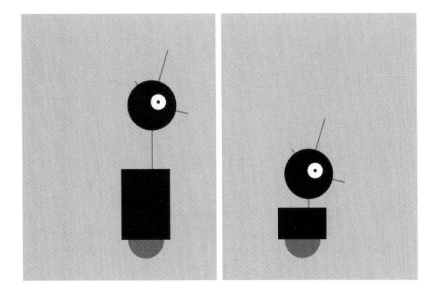

Este programa usa las variables introducidas en Robot 2 (ver Robot 2: variables) y hace posible cambiarlas mientras el programa es ejecutado de manera que las figuras respondan al ratón. El código dentro del bloque draw() es ejecutado muchas veces por segundo. En cada cuadro, las variables definidas en el programa cambian en respuesta a las variables mouseX y mouseIsPressed.

El valor mouseX controla la posición del robot con la técnica de suavizado para que los movimientos sean menos instantáneos y se vean más naturales. Cuando se presiona un botón del ratón, los valores de neckHeight y bodyHeight cambian para hacer más corto el robot :

```
var x = 60;           // Coordenada x
var y = 440;          // Coordenada y
var radius = 45;       // Radio de la cabeza
var bodyHeight = 160;  // Altura del cuerpo
var neckHeight = 70;   // Altura del cuello

var suavizado = 0.04;

function setup() {
  createCanvas(360, 480);
  strokeWeight(2);
  ellipseMode(RADIUS);
```

```
}

function draw() {

  var targetX = mouseX;
  x += (targetX - x) * suavizado;

  if (mouseIsPressed) {
    neckHeight = 16;
    bodyHeight = 90;
  } else {
    neckHeight = 70;
    bodyHeight = 160;
  }

  var neckY = y - bodyHeight - neckHeight - radius;

  background(204);

  // Cuello
  stroke(102);
  line(x+12, y-bodyHeight, x+12, neckY);

  // Antenas
  line(x+12, neckY, x-18, neckY-43);
  line(x+12, neckY, x+42, neckY-99);
  line(x+12, neckY, x+78, neckY+15);

  // Cuerpo
  noStroke();
  fill(102);
  ellipse(x, y-33, 33, 33);
  fill(0);
  rect(x-45, y-bodyHeight, 90, bodyHeight-33);

  // Cabeza
  fill(0);
  ellipse(x+12, neckY, radius, radius);
  fill(255);
  ellipse(x+24, neckY-6, 14, 14);


  fill(0);
```

```
  ellipse(x+24, neckY-6, 3, 3);
}
```

Tacto

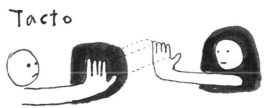

Tacto, me acuerdo del tacto.
Las imágenes venían con tacto.
Un pintor en mi cabeza.
Dime lo que ves (Daft Punk feat.
                        Paul Williams)

— ellipse 10,10

```
for (var i=0; i<touches.length; i++)
{ ellipse (touches[i].x, touches[i].y,
   10,10);}
```

La variable touches[]
contiene un arreglo de las
posiciones de todos los
puntos de tacto actuales.
Cada elemento en el
arreglo es un objeto con
propiedades x, y e id.

Trasladar, rotar, escalar

Una técnica alternativa para posicionar y mover objetos en la pantalla es cambiar el sistema de coordenadas de la pantalla. Por ejemplo, puedes mover una figura 50 pixeles a la derecha, o puedes mover la ubicación de la coordenada (0,0) 50 pixeles a la derecha - el resultado visual en la pantalla es el mismo.

Al modificar el sistema de coordenadas por defecto, podemos crear diferentes *transformaciones* incluyendo *traslación*, *rotación*, y *escalamiento*.

Traslación

Trabajar con transformaciones puede ser difícil, pero la función `translate()` es la más sencilla, así que empezaremos con esta. Tal como la Figura 6-1 muestra, esta función puede trasladar el sistema de coordenadas hacia la izquierda, derecha, arriba y abajo.

```
translate(40, 20);          translate(60, 70);
rect(20, 20, 20, 40);       rect(20, 20, 20, 40);
```

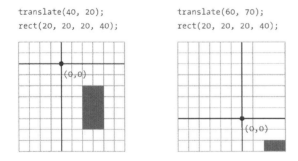

Figura 6-1. Trasladando las coordenadas

Ejemplo 6-1: trasladando una posición

En este ejemplo, observa que el rectángulo está dibujado en la coordenada (0,0), pero está en otra posición en el lienzo, porque es afectado por la función `translate()`:

 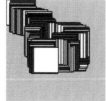 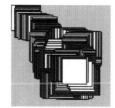

```
function setup() {
  createCanvas(120, 120);
  background(204);
}

function draw() {
  translate(mouseX, mouseY);
  rect(0, 0, 30, 30);
}
```

La función `translate()` define la coordenada (0,0) de la pantalla en la ubicación del ratón (mouseX y mouseY). Cada vez que el bloque `draw()` se repite, el `rect()` es dibujado en el nuevo origen, derivado de la posición actual del ratón.

Ejemplo 6-2: traslaciones múltiples

Después de que la transformación es realizada, es aplicada a todas las funciones de dibujo a continuación. Observa lo que pasa cuando una segunda función `translate` es añadida para controlar un segundo rectángulo:

  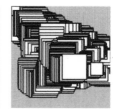

```
function setup() {
  createCanvas(120, 120);
  background(204);
}

function draw() {
  translate(mouseX, mouseY);
  rect(0, 0, 30, 30);
  translate(35, 10);
  rect(0, 0, 15, 15);
}
```

Los valores para la función translate() se suman. El rectángulo pequeño es trasladado según mouseX + 35 y mouseY + 10. Las coordenadas *x* e *y* de ambos rectángulos son (0,0), pero las funciones translate() los mueven a otras posiciones en el lienzo.

Sin embargo, incluso cuando las transformaciones se acumulan dentro del bloque draw(), se anulan cada vez que la función time draw() se ejecuta nuevamente desde el principio.

Rotación

La función rotate() rota el sistema de coordenadas. Tiene un parámetro, que es el ángulo (en radianes) a rotar. Siempre rota relativo a (0,0), lo que se conoce como rotar en torno al *origen*. Figura 3-2 muestra los valores de ángulo en radianes. Figura 6-2 muestra la diferencia entre rotar con números positivos y negativos.

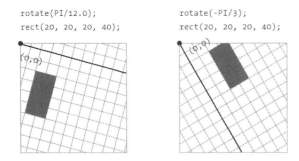

```
rotate(PI/12.0);
rect(20, 20, 20, 40);
```

```
rotate(-PI/3);
rect(20, 20, 20, 40);
```

Figura 6-2. Rotando las coordenadas

Ejemplo 6-3: rotación de esquina

Para rotar una figura, primero define el ángulo de rotación con rotate(), luego dibuja la figura. En este bosquejo, el parámetro para rotar (mouseX / 100.0) tendrá un valor entre 0 y 1.2 para definir el ángulo de rotación porque mouseX tendrá un valor entre 0 y 120, el ancho del lienzo según lo definido en createCanvas():

```
function setup() {
  createCanvas(120, 120);
  background(204);
}

function draw() {
  rotate(mouseX / 100.0);
  rect(40, 30, 160, 20);
}
```

Ejemplo 6-4: rotación del centro

Para rotar una figura en torno a su propio centro, debe ser dibujada con la coordenada (0,0) en su centro. En este ejemplo, como la figura tiene un ancho de 160 y una altura de 20 según lo definido en la función rect(), es dibujada en la coordenada (-80, -10) para poner la coordenada (0,0) al centro de la figura:

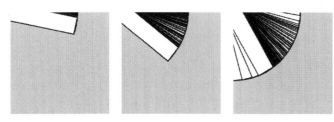

```
function setup() {
  createCanvas(120, 120);
```

```
  background(204);
}

function draw() {
  rotate(mouseX / 100.0);
  rect(-80, -10, 160, 20);
}
```

El anterior par de ejemplos muestra cómo rotar alrededor de la coordenada
(0,0), ¿pero qué otras posibilidades hay? Puedes usar las funciones
translate() y rotate() para mayor control. Cuando son combinadas, el
orden en que aparecen afecta el resultado. Si el sistema de coordenadas es
trasladado y después rotado, es distinto que primero rotar y después mover
el sistema de coordenadas.

Ejemplo 6-5: traslación, después rotación

Para girar una figura en torno a su centro a un lugar en la pantalla lejos del
origen, primero usa la función translate() para mover la figura a la
ubicación donde quieres la figura, luego usa rotate(), y luego dibuja la
figura con su centro en la coordenada (0,0):

```
var angulo = 0.0;

function setup() {
  createCanvas(120, 120);
  background(204);
}

function draw() {
  translate(mouseX, mouseY);
  rotate(angulo);
  rect(-15, -15, 30, 30);
  angulo += 0.1;
}
```

Ejemplo 6-6: rotación, después traslación

El siguiente ejemplo es idéntico a Ejemplo 6-5, excepto que `translate()` y `rotate()` ocurren en el orden inverso. La figura ahora rota alrededor de la esquina superior izquierda, con la distancia desde la esquina definida por `translate()`:

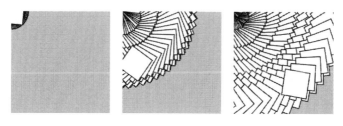

```
var angulo = 0.0;

function setup() {
  createCanvas(120, 120);
  background(204);
}

function draw() {
  rotate(angulo);
  translate(mouseX, mouseY);
  rect(-15, -15, 30, 30);
  angulo += 0.1;
}
```

También puedes usar las funciones `rectMode()`, `ellipseMode()` y `imageMode()` para hacer más simple el dibujo de figuras desde su centro. Puedes leer sobre estas funciones en la *Referencia de p5.js*.

Ejemplo 6-7: un brazo articulado

En este ejemplo, hemos unido una serie de funciones translate() y
rotate() para crear un brazo articulado. Cada función translate()
mueve la posición de las líneas, y cada función rotate() añade a la
rotación previa para poder girar más:

```
var angulo = 0.0;
var anguloDireccion = 1;
var velocidad = 0.005;

function setup() {
  createCanvas(120, 120);
}

function draw() {
  background(204);
  translate(20, 25);   // Mover a la posición inicial
  rotate(angulo);
  strokeWeight(12);
  line(0, 0, 40, 0);
  translate(40, 0);    //Mover a la siguiente articulación
  rotate(angulo * 2.0);
  strokeWeight(6);
  line(0, 0, 30, 0);
  translate(30, 0);    // Mover a la siguiente articulación
  rotate(angulo * 2.5);
  strokeWeight(3);
  line(0, 0, 20, 0);

  angulo += velocidad * anguloDireccion;
  if ((angulo > QUARTER_PI) || (angulo < 0)) {
    anguloDireccion *= -1;
  }
}
```

La variable `angulo` aumenta desde 0 hasta `QUARTER_PI` (un cuarto del valor de pi), luego disminuye hasta que es menor que cero, luego el ciclo se repite. El valor de la variable `anguloDireccion` está siempre entre 1 y -1 para hacer que el valor de `angulo` correspondiente aumente o disminuya.

Escalar

La función `scale()` estira las coordenadas del lienzo. Como las coordenadas se expanden o se contraen cuando cambia la escala, todo lo que está dibujado en el lienzo aumenta o disminuye sus dimensiones. La cantidad de escalamiento se escribe en porcentajes decimales. Entonces, el parámetro 1.5 en la función `scale()` corresponde a 150% y 3 a 300% (Figura 6-3).

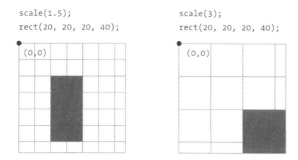

Figura 6-3. Escalando las coordenadas

Ejemplo 6-8: escalamiento

Tal como `rotate()`, la función `scale()` transforma desde el origen. Entonces, tal como `rotate()`, para escalar una figura desde su centro, debemos trasladar su ubicación, escalar y luego dibujar con el centro en la coordenada (0,0):

```
function setup() {
```

```
  createCanvas(120, 120);
  background(204);
}

function draw() {
  translate(mouseX, mouseY);
  scale(mouseX / 60.0);
  rect(-15, -15, 30, 30);
}
```

Ejemplo 6-9: manteniendo consistentes los trazos

De las líneas gruesas de Ejemplo 6-8, puedes ver cómo la función scale()
afecta el grosor del trazado. Para mantener un grosor consistente de
trazado a medida que la figura se escala, divide el trazado deseado por el
valor escalar:

```
function setup() {
  createCanvas(120, 120);
  background(204);
}

function draw() {
  translate(mouseX, mouseY);
  var scalar = mouseX / 60.0;
  scale(scalar);
  strokeWeight(1.0 / scalar);
  rect(-15, -15, 30, 30);
}
```

Push y pop

Para aislar los efectos de las transformaciones para que no afecten otras
funciones, usa las funciones push() y pop(). Cuando ejecutas push(), se
almacena una copia del sistema de coordenadas actual y luego puedes
restaurar ese sistema ejecutando pop(). Esto es útil cuando necesitas
transformar una figura, pero no quieres afectar otras.

Ejemplo 6-10: aislando transformaciones

En este ejemplo, el rectángulo pequeño siempre se dibuja en la misma posición porque translate(mouseX, mouseY) es cancelado por pop():

```
function setup() {
  createCanvas(120, 120);
  background(204);
}

function draw() {
  push();
  translate(mouseX, mouseY);
  rect(0, 0, 30, 30);
  pop();
  translate(35, 10);
  rect(0, 0, 15, 15);
}
```

Las funciones push() y pop() siempre se usan de a pares. Por cada push(), tiene que haber un correspondiente pop().

Robot 4: trasladar, rotar, escalar

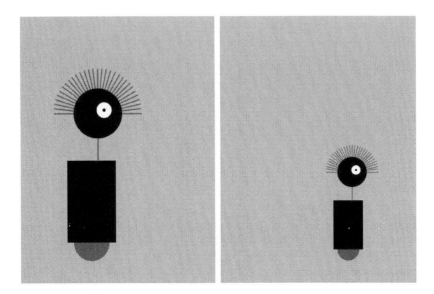

Las funciones `translate()`, `rotate()`, y `scale()` son utilizadas para modificar el bosquejo del robot. En relación a Robot 3: respuesta, `translate()` es usado para hacer el código más fácil de leer. Aquí, observa como ya no es necesario sumar el valor de x a cada función de dibujo porque la función `translate()` mueve todo. Similarmente, la función `scale()` es usada para definir las dimensiones del robot completo. Cuando el ratón no está presionado, el tamaño es de un 60% y cuando sí está presionado, es de un 100% en relación a las coordenadas originales. La función `rotate()` es usada dentro del bucle para dibujar una línea, rotarla un poco, luego dibujar una segunda línea, luego rotarla un poco más, y así hasta que el bucle ha dibujado 30 líneas en forma de círculo para darle estilo al pelo de la cabeza del robot:

```
var x = 60;          // Coordenada x
var y = 440;         // Coordenada y
var radius = 45;      // Radio de la cabeza
var bodyHeight = 180;  // Altura del cuerpo
var neckHeight = 40;   // Altura del cuello

var easing = 0.04; //suavizado

function setup() {
  createCanvas(360, 480);
```

```
  strokeWeight(2);
  ellipseMode(RADIUS);
}

function draw() {

  var neckY = -1 * (bodyHeight + neckHeight + radius);

  background(204);

  translate(mouseX, y);   // Mueve todo a (mouseX, y)

  if (mouseIsPressed) {
    scale(1.0);
  } else {
    scale(0.6);   // 60% de tamaño si el ratón está presionado
  }

  // Cuerpo
  noStroke();
  fill(102);
  ellipse(0, -33, 33, 33);
  fill(0);
  rect(-45, -bodyHeight, 90, bodyHeight-33);

  // Cuello
  stroke(102);
  line(12, -bodyHeight, 12, neckY);

  // Pelo
  push();
  translate(12, neckY);
  var angle = -PI/30.0; //angulo
  for (var i = 0; i <= 30; i++) {
    line(80, 0, 0, 0);
    rotate(angle);
  }
  pop();

  // Cabeza
  noStroke();
  fill(0);
  ellipse(12, neckY, radius, radius);
```

```
    fill(255);
    ellipse(24, neckY-6, 14, 14);
    fill(0);
    ellipse(24, neckY-6, 3, 3);

}
```

Medios

p5.js es capaz de dibujar más que simplemente líneas y figuras. Es tiempo de aprender cómo crear imágenes y texto en nuestros programas para extender las posibilidades visuales a fotografía, diagramas detallados y diversos tipos de letra.

Antes de que hagamos esto, primero tenemos que hablar un poco sobre servidores. Hasta este punto, hemos estado viendo el archivo *index.html* directamente en el navegador. Esto funciona bien para ejecutar animaciones simples. Sin embargo, si quieres hacer cosas como cargar una imagen externa en tu bosquejo, tu navegador no lo va a permitir. Si revisas la consola, te encontrarás con un error que contiene el término *cross-origin* (origen cruzado). Para cargar archivos externos, tienes que correr un *servidor*. Un *servidor* responde cuando escribes una URL en la barra de direcciones, y te *sirve* los archivos correspondientes para que los puedas visualizar.

Existen diferentes maneras de correr servidores. Visita *https://github.com/ processing/p5.js/wiki/Servidor-local* para ver las instrucciones de cómo correr un servidor en sistemas Mac OS X, Windows y Linux. Una vez que lo tengas configurado, ¡estás listo para cargar medios!

Hemos subido algunos archivos para que los uses en los ejemplos de este capítulo: *http://p5js.org/learn/books/media.zip*.

Descarga este archivo, descomprímelo en tu escritorio (o en otro lugar conveniente) y anota su ubicación.

Para descomprimir en Mac OS X, basta con hacer doble click en el archivo y se creará un directorio llamado *media*. En Windows, haz doble click en el archivo *media.zip*, lo que abrirá una nueva ventana. En esa ventana, arrastra el directorio *media* al escritorio.

Crea un nuevo bosquejo, y copia el archivo *lunar.jpg* del directorio *media* que acabas de descomprimir, en el directorio de tu *bosquejo*.

En Windows y Mac OS X, las extensiones de los archivos están escondidas por defecto. Es una buena idea cambiar esta opción para que siempre veas el nombre completo de tus archivos. En Mac OS X, selecciona Preferencias en el menú principal (Finder), y luego asegúrate que "Mostrar la extensión completa" esté activada en la pestaña de opciones avanzadas. En Windows, busca las Opciones de Directorio, y selecciona la opción ahí.

Imágenes

Existen tres pasos que tienes que realizar antes de que puedas dibujar una imagen en la pantalla:

1. Añade la imagen al directorio del bosquejo.

2. Crea una variable para almacenar la imagen.

3. Carga la imagen en la variable con `loadImage()`.

Ejemplo 7-1: carga una imagen

Para cargar una imagen, introduciremos una nueva función llamada `preload()`. La función `preload()` se ejecuta una vez y antes de que la función `setup()` se ejecute. Generalmente deberías cargar tus imagenes y otros archivos en `preload()` para asegurarte que estén completamente cargadas antes de que tu programa empiece a correr. Discutiremos esto en mayor profundidad más adelante en el capítulo.

Después de que los tres pasos son completados, puedes dibujar la imagen en la pantalla con la función `image()`. El primer parámetro de `image()` especifica la imagen a dibujar, el segundo y tercero son las coordenadas *x* e *y*:

```
var img;
```

```
function preload() {
  img = loadImage("lunar.jpg");
}

function setup() {
  createCanvas(480, 120);
}

function draw() {
  image(img, 0, 0);
}
```

Los parámetros opcionales cuarto y quinto determinan el ancho y altura de la imagen a dibujar. Si no se usan los parámetros cuarto y quinto, la imagen es dibujada en su tamaño original.

Los siguientes ejemplos muestran cómo trabajar con más de una imagen en el mismo programa y cómo escalar una imagen.

Ejemplo 7-2: cargar más imágenes

Para este ejemplo, necesitarás agregar el archivo *capsule.jpg* (que está dentro del directorio *media* descargaste) al directorio de tu *bosquejo*:

```
var img1;
var img2;

function preload() {
  img1 = loadImage("lunar.jpg");
  img2 = loadImage("capsule.jpg");
}

function setup() {
  createCanvas(480, 120);
}
```

```
function draw() {
  image(img1, -120, 0);
  image(img1, 130, 0, 240, 120);
  image(img2, 300, 0, 240, 120);
}
```

Ejemplo 7-3: mover las imágenes con el ratón

Cuando los valores mouseX y mouseY son usados como los parámetros
cuarto y quinto de la función image( ), el tamaño de la imagen cambia con
el movimiento del ratón:

```
var img;

function preload() {
  img = loadImage("lunar.jpg");
}

function setup() {
  createCanvas(480, 120);
}

function draw() {
  background(0);
  image(img, 0, 0, mouseX * 2, mouseY * 2);
}
```

Cuando una imagen es mostrada más grande o pequeña que su tamaño
original, puede distorsionarse. Ten cuidado al preparar tus imágenes en los
tamaños en que serán usadas. Cuando el tamaño de la imagen es
modificado con la función image( ), el archivo original en tu directorio del
bosquejo no cambia.

p5.js puede cargar y mostrar imágenes raster en los formatos JPEG, PNG, y

GIF, además de imágenes vectoriales formato SVG. Puedes convertir imágenes a los formatos JPEG, PNG, GIF y SVG usando programas como GIMP, Photoshop e Illustrator. La mayor parte de las cámaras digitales graban sus imágenes en el formato JPEG, pero usualmente necesitan ser reducidas en tamaño para ser usadas con p5.js. Una cámara digital típica crea una imagen que es varias veces más grande que el área de dibujo de gran parte de los bosquejos creados en p5.js. Cambiar el tamaño de estas imágenes antes de que sean añadidas al directorio de *bosquejo* hace que los bosquejos carguen más rápido, corran más eficientemente y ahorra espacio en el disco duro.

Las imágenes GIF, PNG y SVG soportan transparencia, lo que significa que los pixeles pueden ser invisibles o parcialmente visibles (recuerda la discusión de color() y valores alpha en Ejemplo 3-17). Las imágenes GIF tienen transparencia de 1 bit, lo que significa que los pixeles son totalmente opacos o totalmente transparentes. Las imágenes PNG soportan transparencia de 8 bits, lo que significa que cada pixel tiene una variable de opacidad. Los siguientes ejemplos usan *clouds.gif* y *clouds.png* para mostrar las diferencias entre los formatos de archivo. Las imágenes están dentro del directorio *media* que has descargado anteriormente. Asegúrate de incluirlas al directorio de tu bosquejo antes de probar cada ejemplo.

Ejemplo 7-4: transparencia con GIF

```
var img;

function preload() {
  img = loadImage("clouds.gif");
}

function setup() {
  createCanvas(480, 120);
}
function draw() {
  background(204);
```

```
  image(img, 0, 0);
  image(img, 0, mouseY * -1);
}
```

Ejemplo 7-5: transparencia con PNG

```
var img;

function preload() {
  img = loadImage("clouds.png");
}

function setup() {
  createCanvas(480, 120);
}

function draw() {
  background(204);
  image(img, 0, 0);
  image(img, 0, mouseY * -1);
}
```

Ejemplo 7-6: mostrando una imagen SVG

```
var img;

function preload() {
  img = loadImage("network.svg");
}

function setup() {
  createCanvas(480, 120);
}

function draw() {
  background(0);
  image(img, 0, 0);
  image(img, mouseX, 0);
}
```

Recuerda incluir la extensión apropiada del archivo (*.gif*, *.jpg*, *.png*, o *.svg*) cuando cargas la imagen. También asegúrate de que el nombre de la imagen esté escrito exactamente como aparece en el archivo, incluyendo mayúsculas y minúsculas.

Asincronicidad

¿Por qué necesitamos cargar las imágenes en preload()? ¿Por qué no usamos setup()? Hasta este punto, hemos estado asumiendo que nuestros programas corren desde la parte superior a la inferior, con cada línea de código siendo ejecutada completamente antes de avanzar a la siguiente. Aunque esto es cierto generalmente, en el caso de algunas funciones como cargar imágenes, tu navegador empezará el proceso de cargar la imagen, pero saltará a la siguiente línea antes de que la imagen haya terminado de cargarse. Esto recibe el nombre de *asincronicidad*, o de *función asíncrona*. Esto es un poco inesperado al principio, pero permite que las páginas carguen y corran más rápido en la web.

Para ver esto con mayor claridad, considera el siguiente ejemplo. Es idéntico a Ejemplo 7-1, excepto que usamos loadImage() dentro de setup() en vez de preload().

Ejemplo 7-7:demonstrando la asincronicidad

```
var img;

function setup() {
  createCanvas(480, 120);
  img = loadImage("lunar.jpg");
  noLoop();
}

function draw() {
  background(204);
  image(img, 0, 0);
}
```

Cuando ejecutes este programa, te darás cuenta que el lienzo para pintar está gris y que la imagen no está siendo mostrada. El bosquejo primero ejecuta la función setup(), y luego ejecuta la función draw(). En la línea de loadImage() empieza a cargar la imagen, pero continúa con el resto de setup() y con draw() antes de que la imagen esté completamente cargada. La función image() no es capaz de dibujar una imagen que todavía no esté cargada.

Para solucionar con este problema, p5.js posee la función preload(). A diferencia de setup(), preload() fuerza al programa a esperar hasta que todo esté cargado antes de continuar. Es mejor ejecutar las instrucciones para cargar archivos dentro de preload(), y hacer toda la configuración en setup().

De forma alternativa, en vez de usar preload(), puedes usar algo llamado *función callback* (retrollamada). Una función callback es una función que se pasa como argumento a una segunda función, y que se ejecuta después de que la segunda funcion ha terminado. El siguiente ejemplo ilustra esta técnica.

Ejemplo 7-8: cargar con callback

```
function setup() {
  createCanvas(480, 120);
  loadImage("lunar.jpg", dibujarImagen);
  noLoop();
}

function draw() {
  background(200);
}

function dibujarImagen(img) {
  image(img, 0, 0);
}
```

En este ejemplo, añadimos un segundo argumento a loadImage(), que es la función que queremos que se ejecute después de que la carga finaliza. Una vez que la imagen ha cargado, la función drawImage() es llamada automáticamente, con un argumento, la imagen que ha sido recién cargada.

No hay necesidad de crear una variable global para guardar la imagen. La imagen es pasada directamente a la función callback, con el nombre del parámetro escogido en la definición de la función.

Tipos de letra

p5.js puede mostrar texto en fuentes distintas que la por defecto. Puedes usar cualquier fuente que esté en tu computador (llamadas *fuentes del sistema*). Ten en cuenta que si estás compartiendo esto en la web, otra gente necesitará añadir la fuente de sistema para poder ver el texto en la fuente que escogiste. Existe un número de fuentes que la mayor parte de los computadores y dispositivos tienen; estas incluyen "Arial," "Courier," "Courier New," "Georgia," "Helvetica," "Palatino," "Times New Roman," "Trebuchet MS," y "Verdana."

Ejemplo 7-9: dibujando con tipos de letras

Puedes usar la función `textFont()` para configurar la fuente actual.
Puedes dibujar letras en la pantalla con la función `text()` y puedes
cambiar el tamaño con la función `textSize()`:

```
function setup() {
  createCanvas(480, 120);
  textFont("Arial");
}

function draw() {
  background(102);
  textSize(32);
  text("one small step for man...", 25, 60);
  textSize(16);
  text("one small step for man...", 27, 90);
}
```

El primer parámetro de `text()` son los caracteres a ser dibujados en la
pantalla. (Observa que los caracteres están entre comillas). Los parámetros
segundo y tercero definen la ubicación horizontal y vertical. La ubicación es
relativa a la base del texto (ver Figura 7-1).

Figura 7-1. Coordenadas de la tipografía

Ejemplo 7-10: usar una fuente de la web

Si no quieres estar limitado a esta pequeña lista de fuentes, puedes usar una de la web. Dos sitios web que son buenos recursos para encontrar fuentes web con licencias abiertas para usar con p5.js son GoogleFonts y la Open Font Library.

Para usar una webfont en tu programa, deberás referenciarla en tu archivo *index.html*. Cuando escoges una fuente de cualquiera de estas bibliotecas mencionadas, te mostará una línea de código para añadir a tu archivo HTML. Cuando copias y pegas este código en cualquier parte dentro de la sección <head> de tu HTML, tu archivo se verá parecido a esto:

```
<html>
<head>
<script type="text/javascript" src="../lib/p5.js"></script>
<script type="text/javascript" src="sketch.js"></script>
<link href="http://fonts.googleapis.com/css?family=Source+Code
+Pro" rel="stylesheet" type="text/css">
</head>
<body>
</body>
</html></pre>
```

Después de que hayas enlazado la fuente, puedes usarla con `textFont()` igual que las fuentes de sistema:

```
function setup() {
  createCanvas(480, 120);
  textFont("Source Code Pro");
}

function draw() {
  background(102);
  textSize(28);
  text("one small step for man...", 25, 60);
```

```
    textSize(16);
    text("one small step for man...", 27, 90);
}
```

Ejemplo 7-11: cargar una fuente personalizada

p5.js también puede mostrar texto usando tipografías TrueType (.ttf) y
OpenType (.otf). En esta introducción, cargaremos la fuente *SourceCodePro-
Regular.ttf* TrueType (incluida en la carpeta *media* que descargaste) desde la
carpeta *sketch*.

Estamos usando el mismo tipo de letra que usamos en el Ejemplo 7-10, pero
ahora el archivo está ubicado en la carpeta *sketch* en vez de ser cargado
desde la web. El resultado del siguiente programa debería verse igual que el
Ejemplo 7-10. Aquí están los pasos que debes seguir para incluir una
tipografía personalizada en tu programa:

1. Agrega la tipografía a tu carpeta del bosquejo.

2. Crea una variable para almacenar la tipografía.

3. Carga la tipografía en la variable con `loadFont()`.

4. Usa la función `textFont()` para definir la tipografía actual:

```
var font;

function preload() {
  font = loadFont("SourceCodePro-Regular.ttf");
}

function setup() {
  createCanvas(480, 120);
  textFont(font);
}

function draw() {
  background(102);
  textSize(28);
  text("one small step for man...", 25, 60);
  textSize(16);
  text("one small step for man...", 27, 90);
}
```

Ejemplo 7-12: define el trazo y el relleno del texto

Tal como las figuras, el texto es afectado por las funciones `stroke()` y `fill()`. El siguiente ejemplo resulta en un texto negro con un trazo blanco:

```
function setup() {
  createCanvas(480, 120);
  textFont("Source Code Pro");
  fill(0);
  stroke(255);
}

function draw() {
  background(102);
  textSize(28);
  text("one small step for man...", 25, 60);
  textSize(16);
  text("one small step for man...", 27, 90);
}
```

Ejemplo 7-13: dibuja el texto en un recuadro

También puedes definir que el texto se dibuje dentro de un recuadro añadiendo los parámetros cuarto y quinto para especificar el ancho y altura del recuadro:

```
function setup() {
  createCanvas(480, 120);
```

```
    textFont("Source Code Pro");
    textSize(24);
}

function draw() {
    background(102);
    text("one small step for man...", 26, 24, 240, 100);
}
```

Ejemplo 7-13: almacenar texto en una variable

En el ejemplo anterior, las palabras dentro de la función text() hacen que
el codigo sea difícil de leer. Podemos almacenar estas palabras en una
variable para hacer que el código sea más modular. Aquí hay una nueva
versión del ejemplo anterior que usa una variable:

```
var cita = "one small step for man...";

function setup() {
    createCanvas(480, 120);
    textFont("Source Code Pro");
    textSize(24);
}

function draw() {
    background(204);
    text(cita, 26, 24, 240, 100);
}
```

Existe un conjunto de funciones adicionales que afectan la forma en que las
letras son mostradas en la pantalla. Son explicadas, con ejemplos, en la
categoría Tipografía de la *Referencia de p5.js*.

Robot 5: medios

A diferencia de los robots creados con líneas y rectángulos dibujados en p5.js durante los capítulos anteriores, estos robots fueron creados con un programa de dibujo vectorial. Para algunas figuras, es más fácil apuntar y hacer click con un software como Inkscape o Illustrator que definir las figuras con coordenadas en código.

Existe un compromiso al seleccionar una técnica de creación de imágenes por sobre otra. Cuando defines figuras en p5.js, existe mayor flexibilidad para modificarlas mientras el programa está corriendo. Si las figuras están definidas en otro lugar y luego cargadas a p5.js, los cambios están limitados a la posición, ángulo y tamaño. Cuando cargas cada robot desde un archivo SVG, como este ejemplo muestra, las variaciones destacadas en el Robot 2 (ver Robot 2: variables) son imposibles.

Las imágenes pueden ser cargadas en un programa para agregar visuales creadas en otros programas o capturadas con una cámara. Con esta imagen en el fondo, nuestros robots ahora están buscando formas de vida en Noruega en el inicio del siglo 20.

Los archivos SVG y PNG usados en este ejemplo pueden ser descargados desde *http://p5js.org/learn/books/media.zip*:

```
var bot1;
var bot2;
var bot3;
var landscape; //fondo

var easing = 0.05; //suavizado
var offset = 0; //desfase

// Precarga las imágenes
function preload() {
  bot1 = loadImage("robot1.svg");
  bot2 = loadImage("robot2.svg");
  bot3 = loadImage("robot3.svg");
  landscape = loadImage("alpine.png");
}

function setup() {
  createCanvas(720, 480);
}

function draw() {
  // Define la imagen "landscape" como fondo; esta imagen
  // debe tener los mismos ancho y altura que el programa
  background(landscape);

  // Define el desfase izquierdo/derecho y aplica suavizado
      // para hacer una transición suave
  var targetOffset = map(mouseY, 0, height, -40, 40);
  offset += (targetOffset - offset) * easing;

  // Dibuja el robot izquierdo
  image(bot1, 85 + offset, 65);

  // Dibuja el robot derecho más pequeño y con un desfase menor
  var smallerOffset = offset * 0.7;
  image(bot2, 510 + smallerOffset, 140, 78, 248);

  // Dibuja el robot más pequeño, con un desfase menor
  smallerOffset *= -0.5;
  image(bot3, 410 + smallerOffset, 225, 39, 124);
}
```

Movimiento

Al igual que en un folioscopio, la animación en la pantalla es creada dibujando una imagen, luego otra, y así. La ilusión de movimiento fluido es creada por *persistencia de visión*. Cuando un conjunto de imágenes similares es presentado a una tasa suficiente, nuestros cerebros interpretan estas imágenes como movimiento.

Cuadros

Para crear un movimiento fluido, p5.js trata de ejecutar el código dentro de draw() a una tasa de 60 cuadros por segundo. Un *cuadro* es una ejecución de la función draw() y la *tasa de cuadros* equivale a cuántos cuadros son dibujados por segundo. Entonces, un programa que dibuja 60 cuadros por segundo ejecuta todo el código dentro de la función draw() 60 veces por segundo.

Ejemplo 8-1: revisa la tasa de cuadros

Para confirmar la tasa de cuadros, podemos usar la consola del navegador que aprendimos a usar en 1/Hola. La función frameRate() indica la velocidad actual de tu programa. Abre la consola, ejecuta este programa y revisa los valores que imprime:

```
function draw() {
  var fr = frameRate();
  print(fr);
}
```

Ejemplo 8-2: define la tasa de cuadros

La función frameRate() también puede cambiar la velocidad a la que el programa corre. Cuando es ejecutada sin parámetro (como en Ejemplo 8-1), retorna la tasa de cuadros actual. Sin embargo, cuando la función frameRate() es ejecutada con un parámetro, define la tasa de cuadros a ese valor. Para ver el resultado, ejecuta las distintas versiones de frameRate() de este ejemplo, descomentándolas:

```
function setup() {
  frameRate(30); // Treinta cuadros por segundo
  //frameRate(12); // Doce cuadros por segundo
  //frameRate(2); // Dos cuadros por segundo
  //frameRate(0.5); // Un cuadros cada dos segundos
}

function draw() {
  var fr = frameRate();
  print(fr);
}
```

p5.js *trata* de correr el código a una tasa de 60 cuadros por segundo, pero si tarda más de de 1/60 segundos en ejecutar el método draw(), entonces la tasa decrecerá. La función frameRate() solamente especifica la tasa máxima. La tasa de cualquier programa depende del computador ejecutando el código.

Velocidad y dirección

Para crear ejemplos de movimiento fluido, creamos variables que almacenan números y los modifican un poco en cada cuadro.

Ejemplo 8-3: mueve una figura

El siguiente ejemplo mueve una figura de izquierda a derecha, actualizando la variable *x*:

```
var radio = 40;
var x = -radio;
var velocidad = 0.5;

function setup() {
  createCanvas(240, 120);
  ellipseMode(RADIUS);
}

function draw() {
  background(0);
  x += velocidad;   // Aumenta el valor de x
  arc(x, 60, radio, radio, 0.52, 5.76);
}
```

Cuando ejecutas este código, observarás que la figura se mueve más allá del borde derecho de la pantalla cuando el valor de la variable *x* es mayor que el ancho de la ventana. El valor de *x* sigue aumentando, pero la figura ya no es visible.

Ejemplo 8-4: dar la vuelta

Existen muchas alternativas a este comportamiento, que puedes escoger de acuerdo a tu preferencia. Primero, extenderemos el código para mostrar cómo mover la figura de vuelta al borde izquierdo de la pantalla después de que desaparece del borde derecho. En este caso, imagina la pantalla como un cilindro aplanado, con la figura moviéndose por fuera para volver al borde izquierdo:

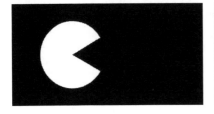 

```
var radio = 40;
var x = -radio;
var velocidad = 0.5;

function setup() {
  createCanvas(240, 120);
  ellipseMode(RADIUS);
}

function draw() {
  background(0);
  x += velocidad;   // Aumenta el valor de x
  if (x > width + radio) {
    x = -radio;   // Mueve la figura al borde izquierdo
  }
  arc(x, 60, radio, radio, 0.52, 5.76);
}
```

En cada viaje alrededor de draw(), el código prueba si el valor de x ha aumentado más allá del ancho de la pantalla (sumado al radio de la figura). Si lo ha hecho, hacemos que el valor de x sea negativo nuevamente, para que cuando siga aumentando, entre a la pantalla por la izquierda. Revisa la Figura 8-1 para ver un diagrama de cómo funciona.

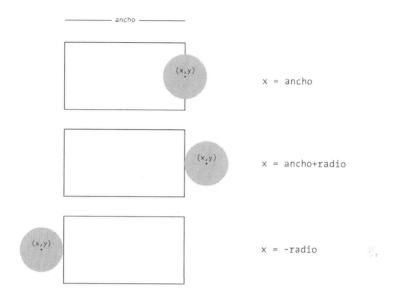

Figura 8-1. Probando los bordes de la ventana

Ejemplo 8-5: rebota contra la pared

En este ejemplo, extenderemos el Ejemplo 8-3 para que la figura cambie de dirección cuando llegue a un borde, en vez de volver a aparecer por la izquierda. Para lograr esto, añadimos una nueva variable para almacenar la dirección de la figura. Un valor de dirección de 1 mueve la figura hacia la derecha, mientras que un valor de -1 la mueve hacia la izquierda:

```
var radio = 40;
var x = 110;
var velocidad = 0.5;
var direccion = 1;

function setup() {
```

```
  createCanvas(240, 120);
  ellipseMode(RADIUS);
}

function draw() {
  background(0);
  x += velocidad * direccion;
  if ((x > width - radio) || (x < radio)) {
    direccion = -direccion; // Cambiar dirección
  }
  if (direccion == 1) {
    arc(x, 60, radio, radio, 0.52, 5.76); // Hacia la derecha
  } else {
    arc(x, 60, radio, radio, 3.67, 8.9); // Hacia la izquierda
  }
}
```

Cuando la figura llega a un borde, este código invierte la dirección de la figura, cambiando el signo de la variable direccion. Por ejemplo, si la variable direccion es positiva cuando la figura llega a un borde, el código la invierte a negativa.

Posiciones intermedias (tweening)

A veces quieres animar una figura para ir de un punto de la pantalla a otro. Con unas pocas líneas de código, puedes configurar la posición inicial y final, y luego calcular las posiciones intermedias (*tween*) en cada cuadro.

Ejemplo 8-6: calcula las posiciones intermedias

Para hacer que el ejemplo de este código sea modular, hemos creado un grupo de variables en la parte superior. Ejecuta el código varias veces y cambia los valores para revisar cómo este código puede mover la figura desde cualquier ubicación a cualquier otra y en cualquier rango de velocidades. Modifica la variable paso para alterar la velocidad:

```
var inicioX = 20;   // Coordenada x inicial
var finX = 160;     // Coordenada x final
var inicioY = 30;   // Coordenada y inicial
var finY = 80;      // Coordenada y final
var x = inicioX;    // Coordenada x actual
var y = inicioY;    // Coordenada y actual
var paso = 0.005;   // createCanvas para cada paso (0.0 a 1.0)
var pct = 0.0;      // Porcentaje avanzado (0.0 a 1.0)

function setup() {
  createCanvas(240, 120);
}

function draw() {
  background(0);
  if (pct < 1.0) {
    x = inicioX + ((finX - inicioX) * pct);
    y = inicioY + ((finY - inicioY) * pct);
    pct += paso;
  }
  ellipse(x, y, 20, 20);
}
```

Aleatoreidad

A diferencia del movimiento linear y suave típico en las gráficas por computadora, el movimiento en el mundo físico es usualmente idiosincrático. Por ejemplo, una hoja cayendo hacia la tierra, o una hormiga caminando por un terreno rugoso. Podemos simular las cualidades impredecibles del mundo generando números aleatorios. La función random( ) calcula estos valores; podemos definir un rango para afinar la cantidad de desorden en un programa.

Ejemplo 8-7: genera valores aleatorios

El siguiente ejemplo corto imprime valores aleatorios en la consola, con el rango limitado por la posición del ratón:

```
function draw() {
  var r = random(0, mouseX);
  print(r);
}
```

Ejemplo 8-8: dibuja aleatoriamente

Construyendo a partir del Ejemplo 8-7, este ejemplo usa valores de la función random( ) para modificar la posición de líneas en el lienzo. Cuando el ratón está en la izquierda del lienzo, el cambio es pequeño; si se mueve a la derecha, los valores de random( ) aumentan y el movimiento se torna más exagerado. Como la función random( ) está dentro del bucle for, se calcula un nuevo valor aleatorio para cada punto de cada línea:

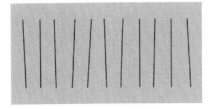 

```
function setup() {
  createCanvas(240, 120);
}

function draw() {
  background(204);
  for (var x = 20; x < width; x += 20) {
    var mx = mouseX / 10;
    var desplazamientoA = random(-mx, mx);
    var desplazamientoB = random(-mx, mx);
    line(x + desplazamientoA, 20, x - desplazamientoB, 100);
  }
}
```

Ejemplo 8-9: mueve figuras aleatoriamente

Cuando se usa para mover figuras alrededor de la pantalla, los valores aleatorios pueden generar imágenes que son en apariencia más naturales. En el siguiente ejemplo, la posición del círculo es modificada por valores aleatorios en cada ejecución de draw(). Como no se usa la función background(), las posiciones anteriores permanecen dibujadas:

```
var velocidad = 2.5;
var diametro = 20;
var x;
var y;

function setup() {
  createCanvas(240, 120);
  x = width/2;
  y = height/2;
  background(204);
}

function draw() {
  x += random(-velocidad, velocidad);
  y += random(-velocidad, velocidad);
  ellipse(x, y, diametro, diametro);
}
```

Si observas este ejemplo durante el tiempo suficiente, el círculo podría dejar la pantalla y volver. Esto depende del azar, pero podríamos añadir unas estructuras if o usar la función constrain() para evitar que el círculo deje la pantalla.

La función constrain() limita el valor a un rango específico, el que puede ser usado para mantener x e y dentro de los límites del lienzo. Al reemplazar la función draw() anterior con el siguiente código, te asegurarás que la elipse permanezca en la pantalla:

```
function draw() {
  x += random(-velocidad, velocidad);
  y += random(-velocidad, velocidad);
  x = constrain(x, 0, width);
  y = constrain(y, 0, height);
  ellipse(x, y, diametro, diametro);
}
```

La función `randomSeed()` puede ser usada para forzar a `random()` a producir la misma secuencia de números cada vez que un programa es ejecutado. Esto es descrito con mayor detalle en la *Referencia de p5.js*.

Temporizadores

Cada programa de p5.js cuenta la cantidad de tiempo que ha pasado desde que empezó. Cuenta en milisegundos (milésimas de segundo), así que después de 1 segundo el contador está en 1.000; después de 5 segundos está en 5.000 y después de un minuto en 60.000. Podemos usar este contador para gatillar animaciones en momentos específicos. La función `millis()` retorna el valor del contador.

Ejemplo 8-10: el tiempo pasa

Puedes ver cómo el tiempo pasa cuando ejecutas este programa:

```
function draw() {
  var temporizador = millis();
  print(temporizador);
}
```

Ejemplo 8-11: gatillando eventos temporizados

Cuando se combinan con un bloque `if`, los valores de `millis()` pueden ser usados para secuenciar tanto animaciones como eventos en un programa. Por ejemplo, después de que han pasado dos segundos, el código dentro del bloque `if` puede gatillar un cambio. En este ejemplo, las variables llamadas `momento1` y `momento2` determinan cuándo modificar el valor de la variable x:

```
var momento1 = 2000;
var momento2 = 4000;
var x = 0;
```

```
function setup() {
  createCanvas(480, 120);
}

function draw() {
  var momentoActual = millis();
  background(204);
  if (momentoActual > momento2) {
    x -= 0.5;
  } else if (momentoActual > momento1) {
    x += 2;
  }
  ellipse(x, 60, 90, 90);
}
```

Circular

Si eres un as de la trigonometría, ya sabes cuán increíbles son las funciones *seno* y *coseno*. Si no lo eres, esperamos que los siguientes ejemplos pueden gatillar tu interés. No discutiremos aquí los detalles matemáticos, pero sí mostraremos unas pocas aplicaciones para generar movimiento fluido.

La Figura 8-2 muestra una visualización de valores de la onda sinusoidal y cómo se relacionan con ángulos. En la parte superior e inferior de la onda, observa cómo la tasa de cambio (el cambio en el eje vertical) desacelera, se detiene y luego cambia de dirección. Es esta cualidad de la curva lo que genera un movimiento interesante.

Las funciones sin() y cos() de p5.js retornan valores entre -1 y 1 para la función seno y coseno del ángulo especificado. Tal como arc(), los ángulos deben ser escritos en radianes (revisar Ejemplo 3-7 y Ejemplo 3-8 para un recordatorio de cómo funcionan los radianes). Para ser útil para dibujar, los valores float retornados por sin() y cos() son usualmente multiplicados por un valor más grande.

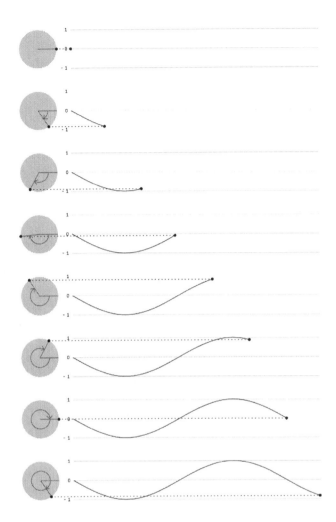

Figura 8-2. El trazado de los valores de seno de un ángulo que se mueve alrededor de un círculo resulta en una onda sinusoidal

Ejemplo 8-12: valores de la onda sinusoidal

Este ejemplo muestra cómo los valores de sin() oscilan entre -1 y 1 a medida que el ángulo aumenta. Con la función map(), la variable valorSeno es convertida desde este rango a valores de 0 a 255. Este nuevo valor es usado para definir el color del fondo del lienzo:

```
var angulo = 0.0;
```

```
function draw() {
  var valorSeno = sin(angulo);
  print(valorSeno);
  var gris = map(valorSeno, -1, 1, 0, 255);
  background(gris);
  angulo += 0.1;
}
```

Ejemplo 8-13: movimiento de una onda sinusoidal

Este ejemplo muestra cómo estos valores pueden ser convertidos en
movimiento:

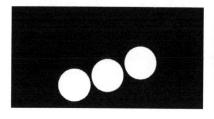 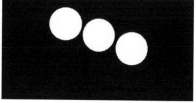

```
var angulo = 0.0;
var desplazamiento = 60;
var escalar = 40;
var velocidad = 0.05;

function setup() {
  createCanvas(240, 120);
}

function draw() {
  background(0);
  var y1 = desplazamiento + sin(angulo) * escalar;
  var y2 = desplazamiento + sin(angulo + 0.4) * escalar;
  var y3 = desplazamiento + sin(angulo + 0.8) * escalar;
  ellipse( 80, y1, 40, 40);
  ellipse(120, y2, 40, 40);
  ellipse(160, y3, 40, 40);
  angulo += velocidad;
}
```

ejemplo 8-14: movimiento circular

Cuando las funciones sin() y cos() son usadas en conjunto, pueden producir movimiento circular. Los valores de la función cos() proveen los valores de la coordenada *x* y los valores de la funcióne sin() proveen la coordenada *y*. Ambas son multiplicados por una variable llamada escalar para modificar el radio del movimiento y son sumadas con un valor offset (desfase) para situar el centro de un movimiento circular:

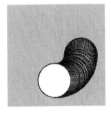  

```
var angulo = 0.0;
var desplazamiento = 60;
var escalar = 30;
var velocidad = 0.05;

function setup() {
  createCanvas(120, 120);
  background(204);
}

function draw() {
  var x = desplazamiento + cos(angulo) * escalar;
  var y = desplazamiento + sin(angulo) * escalar;
  ellipse(x, y, 40, 40);
  angulo += velocidad;
}
```

Ejemplo 8-15: espirales

Un pequeño cambio hecho para aumentar el valor escalar en cada cuadro produce una espiral en vez de un círculo:

```
var angulo = 0.0;
var desplazamiento = 60;
var escalar = 2;
var velocidad = 0.05;

function setup() {
  createCanvas(120, 120);
  fill(0);
  background(204);
}

function draw() {
  var x = desplazamiento + cos(angulo) * escalar;
  var y = desplazamiento + sin(angulo) * escalar;
  ellipse(x, y, 2, 2);
  angulo += velocidad;
  escalar += velocidad;
}
```

Robot 6: movimiento

 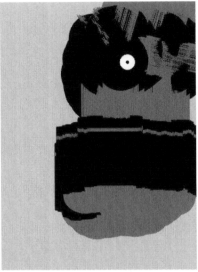

En este ejemplo, las técnicas para movimiento aleatorio y circular son aplicadas al robot. La función background() fue removida para ver más claramente cómo cambian las posiciones del robot y de su cuerpo.

En cada cuadro, un número aleatorio entre -4 y 4 es sumado a la coordenada x y un número aleatorio entre -1 y 1 es sumado a la coordenada y. Esto causa que el robot se mueva más de izquierda a derecha que de arriba a abajo. Los números calculados por la función sin() cambian la altura del cuello para que oscile entre 50 y 100 pixeles de altura:

```
var x = 180;             // Coordenada x
var y = 400;             // Coordenada y
var bodyHeight = 153;    // Altura del cuerpo
var neckHeight = 56;     // Altura del cuello
var radius = 45;         // Radio de la cabeza
var angle = 0.0;         // Ángulo de movimiento

function setup() {
  createCanvas(360, 480);
  ellipseMode(RADIUS);
  background(204);
}
```

```
function draw() {
  // Modifica la posición en un monto aleatorio pequeño
  x += random(-4, 4);
  y += random(-1, 1);

  // Modifica la altura del cuello
  neckHeight = 80 + sin(angle) * 30;
  angle += 0.05;

  // Ajusta la altura de la cabeza
  var ny = y - bodyHeight - neckHeight - radius;

  // Cuello
  stroke(102);
  line(x+2, y-bodyHeight, x+2, ny);
  line(x+12, y-bodyHeight, x+12, ny);
  line(x+22, y-bodyHeight, x+22, ny);

  // Antenas
  line(x+12, ny, x-18, ny-43);
  line(x+12, ny, x+42, ny-99);
  line(x+12, ny, x+78, ny+15);

  // Cuerpo
  noStroke();
  fill(102);
  ellipse(x, y-33, 33, 33);
  fill(0);
  rect(x-45, y-bodyHeight, 90, bodyHeight-33);
  fill(102);
  rect(x-45, y-bodyHeight+17, 90, 6);

  // Cabeza
  fill(0);
  ellipse(x+12, ny, radius, radius);
  fill(255);
  ellipse(x+24, ny-6, 14, 14);
  fill(0);
  ellipse(x+24, ny-6, 3, 3);
}
```

El robot
coloca
dumplings
en
la
pantalla

Especialmente
en la página
web.

cebollino y cerdo

Harina

Funciones

Las funciones son los bloques fundamentales de los programas hechos en p5.js. Han aparecido en cada ejemplo que hemos presentado. Por ejemplo, hemos usado a menudo la función `createCanvas()`, la función `line()`, y la función `fill()`. Este capítulo muestra cómo escribir nuevas funciones para extender las capacidades de p5.js más allá de sus características ya incorporadas.

El poder de las funciones es su modularidad. Las funciones son unidades de software independientes que son usadas para construir programas complejos - como bloques de LEGO, donde cada tipo de ladrillo sirve para un propósito específico y hacer un modelo complejo requiere usar las diferentes partes en conjunto. Al igual que las funciones, el verdadero poder de estos ladrillos es la capacidad de construir muchas formas distintas usando el mismo conjunto de elementos. El mismo grupo de LEGOs que forma una nave espacial puede ser reusado para construir un camión, un rascacielos y muchos otros objetos.

Las funciones son útiles si quieres dibujar una forma más compleja como un árbol, una y otra vez. La función para dibujar un árbol puede estar compuesta de funciones de p5.js, como `line()`, Después de que el código para dibujar el árbol es escrito, no necesitas pensar en los detalles para dibujar un árbol nuevamente - puedes simplemente escribir `arbol()` (o algún otro nombre que le hayas puesto a la función) para dibujar la figura. Las funciones permiten que una secuencia compleja de declaraciones pueda ser abstraída, para que te puedas enfocar en una meta de alto nivel (como dibujar un árbol), y no en los detalles de la implementación (las funciones `line()` que definen la forma del árbol). Una vez que una función es definida, el código dentro de la función no necesita ser repetido.

Fundamentos de funciones

Un computador ejecuta los programas una línea de código a la vez. Cuando una función es ejecutada, el computador salta a donde la función está definida y corre el código ahí, luego vuelve a donde estaba anteriormente.

Ejemplo 9-1: lanza los dados

Este comportamiento es ilustrado con la función `lanzarDado()` escrita para este ejemplo. Cuando el programa empieza, ejecuta el código en `setup()` y luego se detiene. El programa toma un desvío y ejecuta el código dentro de `lanzarDado()` cada vez que aparece:

```
function setup() {
  print(¡Listo para lanzar los dados!");
  lanzarDado(20);
  lanzarDado(20);
  lanzarDado(6);
  print("Listo.");
}

function lanzarDado(numeroLados) {
  var d = 1 + int(random(numeroLados));
  print("Lanzando... " + d);
}
```

Las dos líneas de código en `lanzarDado()` seleccionan un número aleatorio entre 1 y el número de caras del dado e imprime ese número a la consola. Como los números son aleatorios, verás diferentes números cada vez que el prorgama es ejecutado:

```
¡Listo para lanzar los dados!
Lanzando... 20
Lanzando... 11
Lanzando... 1
Listo.
```

Cada vez que la función `lanzarDado()` es ejecutada dentro de `setup()`, el código dentro de la función se ejecuta de arriba a abajo, luego el programa continúa con la siguiente línea dentro de `setup()`.

La función `random()` (descrita en Aleatoreidad) retorna un número entre 0 y hasta (pero sin incluir) el número especificado. Entonces `random(6)`

entrega un número entre 0 y 5.99999... Como `random()` retorna un
número con punto decimal, también usamos la función `int()` para
convertir el número a uno entero. Entonces `int(random(6))` retornará 0, 1,
2, 3, 4, o 5. Le sumamos 1 para que el número retornado esté entre 1 y 6
(como en un dado).Como en muchas otros casos en este libro, contar desde
0 hace más fácil usar los resultados de `random()` en conjunto con otros
cálculos.

Ejemplo 9-2: otra manera de tirar los dados

Si se hubiera hecho un programa equivalente, pero sin la función
`lanzarDado()`, hubiera sido así:

```
function setup() {
  print("¡Listo para lanzar los dados!");
  var d1 = 1 + int(random(20));
  print("Lanzando... " + d1);
  var d2 = 1 + int(random(20));
  print("Lanzando... " + d2);
  var d3 = 1 + int(random(6));
  print("Lanzando... " + d3);
  print("Listo.");
}
```

La función `lanzarDado()` en el Ejemplo 9-1 hace que el código sea más fácil
de leer y mantener. El programa es más claro, porque el nombre de la
función claramente determina su propósito. En este ejemplo, podemos ver
la función `random()` en `setup()`, pero su uso no es tan obvio. El número de
lados en un dado es más claro con una función: cuando el código dice
`lanzarDado(6)`, es obvio que está simulando el lanzamiento de un dado de
seis caras. Además, el Ejemplo 9-1 es fácil de mantener, porque la
información no está repetida. La frase `Lanzando...` se repite tres veces en
este caso. Si quieres cambiar el texto a algo distinto, tienes que actualizar el
código en tres lugares, en vez de hacer una sola edición dentro de la función
`lanzarDado()`. Además, como verás en el Ejemplo 9-5, una función puede
hacer un programa mucho más corto (y por lo tanto más fácil de mantener
y leer), lo que ayuda a reducir el potencial número de errores.

Construye una función

En esta sección, dibujaremos una lechuza para explicar los pasos necesarios
para hacer una función.

Ejemplo 9-3: dibuja la lechuza

Primero, dibujaremos la lechuza sin usar una función:

```
function setup() {
  createCanvas(480, 120);
}

function draw() {
  background(204);
  translate(110, 110);
  stroke(0);
  strokeWeight(70);
  line(0, -35, 0, -65); // Cuerpo
  noStroke();
  fill(204);
  ellipse(-17.5, -65, 35, 35);   // Pupila izquierda
  ellipse(17.5, -65, 35, 35);    // Pupila derecha
  arc(0, -65, 70, 70, 0, PI);    // Barbilla
  fill(0);
  ellipse(-14, -65, 8, 8);   // Ojo izquierdo
  ellipse(14, -65, 8, 8);    // Ojo derecho
  quad(0, -58, 4, -51, 0, -44, -4, -51); // Pico
}
```

Observa que la función translate() es usada para mover el origen (0, 0)
110 pixeles a la derecha y 110 pixeles hacia abajo. Luego la lechuza es
dibujada relativa al (0,0), con sus coordenadas algunas veces positivas y
otras negativas, centradas alrededor del nuevo punto (0,0). (Ver Figura 9-1.)

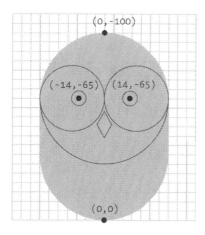

Figura 9-1. Las coordenadas de las lechuzas

Ejemplo 9-4: dos son compañía

El código del Ejemplo 9-3 agregamos una segunda lechuza, el largo del código es casi el doble:

```
function setup() {
  createCanvas(480, 120);
}

function draw() {
  background(204);

  // Lechuza izquierda
  translate(110, 110);
  stroke(0);
  strokeWeight(70);
  line(0, -35, 0, -65); // Cuerpo
  noStroke();
  fill(204);
```

```
ellipse(-17.5, -65, 35, 35);   // Pupila izquierda
ellipse(17.5, -65, 35, 35);    // Pupila derecha
arc(0, -65, 70, 70, 0, PI);    // Barbilla
fill(0);
ellipse(-14, -65, 8, 8);    // Ojo izquierdo
ellipse(14, -65, 8, 8);     // Ojo derecho
quad(0, -58, 4, -51, 0, -44, -4, -51); // Pico

// Lechuza derecha
translate(70, 0);
stroke(0);
strokeWeight(70);
line(0, -35, 0, -65); // Cuerpo
noStroke();
fill(255);
ellipse(-17.5, -65, 35, 35);   // Pupila izquierda
ellipse(17.5, -65, 35, 35);    // Pupila derecha
arc(0, -65, 70, 70, 0, PI);    // Barbilla
fill(0);
ellipse(-14, -65, 8, 8);    // Ojo izquierdo
ellipse(14, -65, 8, 8);     // Ojo derecho
quad(0, -58, 4, -51, 0, -44, -4, -51); // Pico
}
```

El programa aumenta de 21 líneas de código a 34, el código para dibujar la
primera lechuza fue copiado y pegado en el programa y una función
translate() fue insertada para moverla 70 pixeles a la derecha. Esto es
una manera tediosa e ineficiente de dibujar la segunda lechuza, sin
mencionar el dolor de cabeza que será añadir una tercera lechuza con este
método. Duplicar el código es innecesario, porque este es el tipo de
situación donde una función puede llegar al rescate.

Ejemplo 9-5: una función lechuza

En este ejemplo, se introduce una función para dibujar dos lechuzas con el mismo código. Si hacemos que el código que dibuja una lechuza en la pantalla sea una nueva función, entonces el código solamente necesita aparecer una vez en el programa:

```
function setup() {
  createCanvas(480, 120);
}

function draw() {
  background(204);
  lechuza(110, 110);
  lechuza(180, 110);
}

function lechuza(x, y) {
  push();
  translate(x, y);
  stroke(0);
  strokeWeight(70);
  line(0, -35, 0, -65); // Cuerpo
  noStroke();
  fill(255);
  ellipse(-17.5, -65, 35, 35); // Pupila izquierda
  ellipse(17.5, -65, 35, 35);  // Pupila derecha
  arc(0, -65, 70, 70, 0, PI);  // Barbilla
  fill(0);
  ellipse(-14, -65, 8, 8); // Ojo izquierdo
  ellipse(14, -65, 8, 8);  // Ojo derecho
  quad(0, -58, 4, -51, 0, -44, -4, -51); // Pico
  pop();
}
```

Puedes ver por las ilustraciones de este ejemplo y del Ejemplo 9-4 que tienen el mismo resultado, pero que este ejemplo es más corto, porque el código para dibujar la lechuza aparece solamente una vez, dentro de la función llamada `lechuza()`. Este código es ejecutado dos veces, porque es llamado dos veces dentro de `draw()`. La lechuza es dibujada en dos ubicaciones distintas porque los parámetros ingresados en la función determinan las coordenadas *x* e *y*.

Los parámetros son una parte importante de las funciones, porque proveen flexibilidad. Vimos otro ejemplo de esto en la función `lanzarDado()`; el parámetro único `numeroLados` hizo posible simular un dado de 6 caras, uno de 20 y cualquier otro número de caras. Esto es parecido al caso de otras funciones de p5.js. Por ejemplo, los parámetros de la función `line()` permiten dibujar una línea de un pixel a otro en el lienzo. Sin los parámetros, la función solo sería capaz de dibujar una línea desde un punto fijo a otro fijo.

Cada parámetro es una variable que es creada cada vez que la función se ejecuta. Cuando este ejemplo se ejecuta, la primera vez que se llama a la función y, el valor del parámetro x es 110, y el parámetro y también es 110. En el segundo uso de la función, el valor de x es 180 e y nuevamente es 110. Cada valor es pasado a la función y luego cada vez que el nombre de la variable aparece dentro de la función, es reemplazado con el valor.

Ejemplo 9-6: aumentando la población extra

Ahora que tenemos una función básica para dibujar la lechuza en cualquier ubicación, podemos ahora dibujar eficientemente muchas lechuzas poniendo la función dentro de un bucle `for` y cambiando el primer parámetro cada vez que corre el bucle:

```
function setup() {
  createCanvas(480, 120);
}

function draw() {
```

```
    background(204);
    for (var x = 35; x < width + 70; x += 70) {
      lechuza(x, 110);
    }
}

// Insertar la función lechuza() del Ejemplo 9-5
```

Es posible seguir añadiendo más y más parámetros a la función para cambiar diferentes aspectos de cómo la lechuza es dibujada. Se pasan valores a la función para cambiar el color de la lechuza, la rotación, la escala o el diámetro de los ojos.

Ejemplo 9-7: lechuzas de tamaños diferentes

En este ejemplo, hemos añadido dos parámetros para cambiar el valor de gris y el tamaño de cada lechuza:

```
function setup() {
  createCanvas(480, 120);
}

function draw() {
  background(204);
  randomSeed(0);
  for (var i = 35; i < width + 40; i += 40) {
    var gris = int(random(0, 102));
    var escalar = random(0.25, 1.0);
    lechuza(i, 110, gris, escalar);
  }
}

function lechuza(x, y, g, s) {
  push();
  translate(x, y);
  scale(s);  // Define la escala
```

```
  stroke(g); // Define el valor de gris
  strokeWeight(70);
  line(0, -35, 0, -65); // Cuerpo
  noStroke();
  fill(255-g);
  ellipse(-17.5, -65, 35, 35); // Pupila izquierda
  ellipse(17.5, -65, 35, 35);  // Pupila derecha
  arc(0, -65, 70, 70, 0, PI);  // Barbilla
  fill(g);
  ellipse(-14, -65, 8, 8);  // Ojo izquierdo
  ellipse(14, -65, 8, 8);   // Ojo derecho
  quad(0, -58, 4, -51, 0, -44, -4, -51); // Pico
  pop();
}
```

Valores de retorno

Las funciones pueden hacer un cálculo y luego retornar un valor al programa principal. Ya hemos usado funciones de este tipo, incluyendo random() y sin(). Observa que cuando esta función aparece, el valor de retorno es usualmente asignado a una variable:

```
var r = random(1, 10);
```

En este caso, la función random() retorna un valor entre 1 y 10, el que luego es asignado a la variable r.

Las funciones que retornan un valor son frecuentemente usadas como un parámetro de otra función, como por ejemplo:

```
point(random(width), random(height));
```

En este caso, los valores de random() no son asignados a una variable - son pasados como parámetros a la función point() y son usados para posicionar el punto dentro del lienzo.

Ejemplo 9-8: retorna un valor

Para hacer que una función retorne un valor, especifica el dato a ser retornado con la palabra clave return. En este ejemplo se incluye una función llamada pesoMarte() que calcula el peso de una persona u objeto en nuestro planeta vecino Marte:

```
function setup() {
  var tuPeso = 60;
  var pesoMarte = calcularMarte(tuPeso);
  print(pesoMarte);
}

function calcularMarte(p) {
  var pesoNuevo = p * 0.38;
  return pesoNuevo;
}
```

Revisa la última línea del código del bloque, que retorna la variable pesoNuevo. En la segunda línea de setup(), el valor es asignado a la variable pesoMarte. (Para ver tu propio peso en Marte, cambia el valor asignado a la variable tuPeso por tu peso.)

Robot 7: funciones

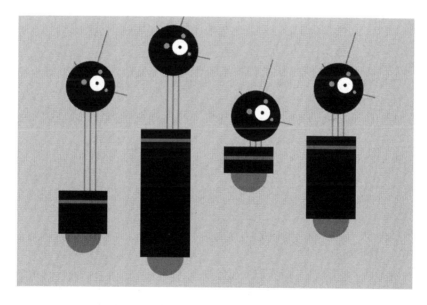

En contraste con el Robot 2 (revisar Robot 2: variables), este ejemplo usa una función para dibujar cuatro variaciones del robot dentro del mismo programa. Como la función dibujarRobot() aparece cuatro veces dentro de la función draw(), el código dentro del bloque dibujarRobot() es ejecutado cuatro veces, cada vez con un diferente conjunto de parámetros para cambiar la posición y la altura del cuerpo del robot.

Observa cómo las variables globales en Robot 2 ahora han sido aisladas dentro de la función dibujarRobot(). Como estas variables aplican solamente al dibujo del robot, tienen que estar dentro de las llaves que definen el bloque de la función dibujarRobot(). Como el valor de la variable radius no cambia, no necesita ser un parámetro. En cambio, es definida al principio de dibujarRobot():

```
function setup() {
  createCanvas(720, 480);
  strokeWeight(2);
  ellipseMode(RADIUS);
}

function draw() {
  background(204);
  dibujarRobot(120, 420, 110, 140);
  dibujarRobot(270, 460, 260, 95);
  dibujarRobot(420, 310, 80, 10);
  dibujarRobot(570, 390, 180, 40);
}

function dibujarRobot(x, y, alturaCuerpo, alturaCuello) {

  var radius = 45; //radio
  var ny = y - alturaCuerpo - alturaCuello - radius;

  // Cuello
  stroke(102);
  line(x+2, y - alturaCuerpo, x+2, ny);
  line(x+12, y - alturaCuerpo, x+12, ny);
  line(x+22, y - alturaCuerpo, x+22, ny);

  // Antenas
  line(x+12, ny, x-18, ny-43);
  line(x+12, ny, x+42, ny-99);
  line(x+12, ny, x+78, ny+15);

  // Cuerpo
  noStroke();
  fill(102);
  ellipse(x, y-33, 33, 33);
```

```
fill(0);
rect(x-45, y - alturaCuerpo, 90, alturaCuerpo - 33);
fill(102);
rect(x-45, y - alturaCuerpo + 17, 90, 6);

// Cabeza
fill(0);
ellipse(x+12, ny, radius, radius);
fill(255);
ellipse(x+24, ny-6, 14, 14);
fill(0);
ellipse(x+24, ny-6, 3, 3);
fill(153);
ellipse(x, ny-8, 5, 5);
ellipse(x+30, ny-26, 4, 4);
ellipse(x+41, ny+6, 3, 3);
}
```

Crea una criatura

Objetos

La *programación orientada a objetos* (OOP) es una manera diferente de pensar tus programas. Los *objetos* son también una manera de agrupar variables con funciones relacionadas. Como ya sabes cómo trabajar con variables y funciones, los objetos simplemente combinan lo que ya has aprendido en un paquete más fácil de entender.

Los objetos son importantes, porque permiten dividir las ideas en bloques más pequeños. Esto se parece al mundo real donde, por ejemplo, los órganos están hechos de tejido, el tejido está hecho de células y así. Similarmente, a medida que tu código se va volviendo más complejo, tienes que pensar en términos de estructuras más pequeñas que forman estructuras más complicadas. Es más fácil escribir y mantener secciones de código más pequeñas y fáciles de entender, que trabajan en conjunto con otras, que escribir una gran sección de código que hace todo al mismo tiempo.

Propiedades y métodos

Un objeto es un conjunto de variables y funciones relacionadas. En el contexto de los objetos, una variable se llama *propiedad* (o *variable de instancia*) y una función se llama *método*. Las propiedades y los métodos funcionan tal como las variables y las funciones vistas en los capítulos anteriores, pero usaremos estos nuevos términos para enfatizar que son parte de un objeto. Para decirlo de otra manera, un objeto combina datos relacionados (propiedades) con acciones y comportamientos relacionados (métodos). La idea es agrupar datos y métodos relacionados que pueden operar sobre datos.

Por ejemplo, para hacer un modelo de una radio, piensa en los parámetros que pueden ser ajustados y las acciones que pueden afectar estos parámetros:

Propiedades
> `volumem`, `frecuencia`, `banda`(FM, AM), `poder`(encendido, apagado)

Métodos
> `definirVolumen`, `definirFrecuencia`, `definirBanda`

Modelar un dispostivo mecánico simple es fácil comparado a modelar un organismo como una hormiga o una persona. No es posible reducir un organismo complejo a unas pocas propiedades y métodos, pero es posible modelarlo suficientemente bien como para crear una simulación interesante. El video juego *The Sims* es un ejemplo claro. Este juego consiste en administrar las actividades diarias de personas simuladas. Los personajes tienen la suficiente personalidad como para hacer adictivo el juego, pero no más que eso. De hecho, ellos solo tienen cinco atributos de personalidad: ordenado, extrovertido, activo, juguetón y simpático. Con el conocimiento de que es posible hacer un modelo altamente simplificado de organismos complejos, podríamos empezar a programar una hormiga con unas pocas propiedades y métodos:

Propiedades
> `tipo`(trabajador, soldado), `peso`, `altura`

Métodos
> `caminar`, `pellizcar`, `liberarFeromonas`, `comer`

Si hicieras una lista de las propiedades y métodos de una hormiga, podrías escoger enfocarte en modelar diferentes aspectos de la hormiga. No existe una manera correcta de hacer un modelo, mientras sea apropiado para lograr las metas de tu programa.

Define un constructor

Para crear un objeto, empieza por definir una función constructor.
Una *función constructor* es la especificación de un objeto. Usando una analogía arquitectónica, una función constructor es como el plano de una casa, y un objeto es como la casa en sí misma. Cada casa construida con el mismo plano puede tener variaciones, y el plano es la única especificación, no una estructura fija. Por ejemplo, una casa puede ser azul y otra roja, una casa puede tener una chimenea y la otra no. Tal como los objetos, el

constructor define los tipos de datos y comportamientos, pero cada objeto (casa) hecho a partir de la misma función constructor (plano) tiene variables (color, chimenea) que tienen distintos valores. Para usar un término más técnico, cada objeto es una instancia y cada instancia tiene su propio conjunto de propiedades y métodos.

Antes de que escribas una función constructor, recomendamos un poco de planificación. Piensa en cuáles propiedades y métodos deberían tener tus objetos. Haz una lluvia de ideas para imaginar todas las opciones posibles y luego prioriza y haz tu mejor conjetura sobre qué funcionará. Harás cambios durante el proceso de programación, pero es importante empezar bien.

Elige nombres claros para tus propiedades. Las propiedades de un objeto pueden almacenar cualquier tipo de datos. Un objeto puede almacenar al mismo tiempo muchos booleans, números, imagenes, strings, etc. Ten en cuenta que una razón para construir un objeto es agrupar elementos relacionados. Para tus métodos, selecciona nombres claros y decide los valores de retorno (si tienen). Los métodos son usados para modificar los valores de las propiedades y para realizar acciones basadas en los valores de las propiedades.

Para nuestra primera función constructor, convertiremos el Ejemplo 8-9 del libro. Empezamos por hacer una lista de las propiedades del ejemplo:

```
var x
var y
var diametro
var velocidad
```

El siguiente paso es resolver cuáles métodos pueden ser útiles para el objeto. Revisando la función draw() del ejemplo que estamos adaptando, vemos dos componentes principales. La posición de la figura es actualizada y dibujada en la pantalla. Creamos dos métodos para nuestro objeto, uno para cada tarea:

```
function mover()
function mostrar()
```

Ninguno de nuestros métodos retorna un valor. Una vez que hemos determinado las propiedades y métodos que el objeto debería tener, escribiremos nuestra función constructor para asignarlos a cada instancia del objeto que crearemos (Figura 10-1).

```
var rojo, azul;

function setup() {
  createCanvas(400, 400);
  rojo = new Tren("Recorrido Rojo", 90);
  azul = new Tren("Recorrido Azul", 120);
}

function Tren (nombreTemporal, distanciaTemporal) {
  this.nombre = nombreTemporal;
  this.distancia = distanciaTemporal;
  }
}
```

Asigna "Recorrido Rojo" a la variable nombre del objeto rojo

Asigna 90 a la variable distancia del objeto rojo

```
var rojo, azul;

function setup() {
  createCanvas(400, 400);
  rojo = new Tren("Recorrido Rojo", 90);
  azul = new Tren("Recorrido Azul", 120);
}

function Tren (nombreTemporal, distanciaTemporal) {
  this.nombre = nombreTemporal;
  this.distancia = distanciaTemporal;
  }
}
```

Asigna "Recorrido Azul" a la variable nombre del objeto azul

Asigna 120 a la variable distancia del objeto azul

Figura 10-1. Pasar valores al constructor para que defina los valores de las propiedades de un objeto

El código dentro la función constructor es ejecutado una vez cuando el objeto es creado. Para crear la función constructor, seguiremos tres pasos:

1. Crear un bloque de función.

2. Añadir las propiedades y asignarles valores.

3. Añadir los métodos.

Primero, creamos un bloque de función para nuestro constructor:

```
function JitterBug() {

}
```

Observa que el nombre JitterBug empieza con mayúscula. No es necesario nombrar la función constructor con letra mayúscula, pero es una convención (que recomendamos encarecidamente) usada para denotar que es un constructor. (La palabra clave function, sin embargo, debe ser minúscula porque es una regla del lenguaje de programación.)

En segundo lugar, añadimos las propiedades. JavaScript posee una palabra reservada especial, this, que puedes usar dentro la función constructor para referirte al objeto actual. Cuando declaras una propiedad de un objeto, dejamos fuera el símbolo var, y en vez de eso anteponemos el nombre de la variable con this. para indicar que estamos asignando una propiedad, una variable del objeto. Podemos declarar y asignar la propiedad velocidad de la siguiente manera:

```
function JitterBug() {
  this.velocidad = 0.5;
}
```

Mientras estamos haciendo esto, tenemos que decidir qué propiedades tendrán sus valores pasados a través del *constructor*. Como regla general, los valores de las propiedades que quieres que sean diferentes para cada instancia son pasados a través del constructor, y los otros valores de propiedades pueden ser definidos dentro del constructor, como velocidad en este caso. Para el objeto JitterBug, hemos decidido que los valores de x, y, y diametro serán ingresados. Cada uno de los valores pasados es asignado a una variable temporal que existe solo mientras el código es ejecutado. Para aclarar esto, hemos añadido el nombre temp a cada una de estas variables, pero pueden ser nombradas con cualquier nombre que prefieras. Serán usadas solo para asignar los valores de las propiedades que son parte del objeto. Así que añadimos `tempX`, `tempY`, y `tempDiametro` como parámetros de la función, y las propiedades son declaradas y asignadas así:

```
function JitterBug(tempX, tempY, tempDiametro) {
  this.x = tempX;
  this.y = tempY;
  this.diametro = tempDiametro;
  this.velocidad = 0.5; // El mismo valor para cada instancia
}
```

El último paso es añadir los métodos. Esto es igual que escribir funciones, pero aquí están contenidas dentro de la función constructor, y la primera línea es escrita un poco distinta. Normalmente, una función para actualizar variables se escribe así:

```
function mover() {
  x += random(-velocidad, velocidad);
  y += random(-velocidad, velocidad);
}
```

Como queremos hacer que esta función sea un método del objeto, nuevamente necesitamos usar la palabra reservada `this`. La función anterior puede ser convertida en un método así:

```
this.mover = function() {
  this.x += random(-this.velocidad, this.velocidad);
  this.y += random(-this.velocidad, this.velocidad);
};
```

La primera línea se ve un poco extraña, pero la manera de interpretarla es "crea una variable de instancia (propiedad) llamada `move`, y luego asígnale como valor esta función." Luego, cada vez que nos referimos a las propiedades del objeto, podemos nuevamente usar `this.`, tal como lo hacemos cuando están inicialmente declaradas. Juntando todo en el constructor el resultado es este:

```
function JitterBug(tempX, tempY, tempDiametro) {

  this.x = tempX;
  this.y = tempY;
  this.diametro = tempDiametro;
  this.velocidad = 2.5;
```

```
this.mover = function() {
  this.x += random(-this.velocidad, this.velocidad);
  this.y += random(-this.velocidad, this.velocidad);
};

this.mostrar = function() {
  ellipse(this.x, this.y, this.diametro, this.diametro);
};

}
```

También observa el espaciado en el código. Cada línea dentro del constructor está indentada unos pocos espacios para indicar lo que está dentro del bloque. Dentro de estos métodos, el código está espaciado nuevamente para mostrar claramente la jerarquía.

Crea objetos

Ahora que has definido una función constructor, para usarla en un programa debes crear un instancia de objeto con ese constructor. Existen dos pasos para crear un objeto:

1. Declara la variable de objeto.

2. Crea (inicializa) el objeto con la palabra clave new.

Ejemplo 10-1: crea un objeto

Para crear tu primer objeto, empezaremos mostrando cómo esto funciona en un bosquejo de p5.js y luego explicaremos cada parte en profundidad:

```
var bug;

function setup() {
  createCanvas(480, 120);
```

```
  background(204);
  // Crea un objeto y pasa los parámetros
  bug = new JitterBug(width/2, height/2, 20);
}

function draw() {
  bug.mover();
  bug.mostrar();
}

// Copia aquí el código del constructor de Jitterbug
```

Declaramos variables de objeto de la misma manera que todas las otras variables - el objeto es declarado escribiendo la palabra reservada var seguida del nombre de la variable:

```
var bug;
```

El segundo paso es inicializar el objeto con la palabra reservada new. Reserva espacio en la memoria para el objeto con todas sus propiedades y métodos. El nombre del constructor es escrito a la derecha de la palabra reservada new, seguido de los parámetros dentro del constructor, si es que tiene alguno:

```
bug = new JitterBug(width/2, height/2, 20);
```

Los tres números dentro de los paréntesis son los parámetros pasados a la función constructor JitterBug. El número y orden de estos parámetros deben corresponder con los del constructor.

Ejemplo 10-2: crea múltiples objetos

En el Ejemplo 10-1, vimos algo nuevo: el punto que es usado para acceder a los métodos del objeto dentro de draw(). El operador punto es usado para unir el nombre del objeto con sus propiedades y métodos. Es análogo a la manera en que usamos this. dentro de la función constructor, pero cuando nos referimos a esto fuera del constructor, this es reemplazado por el nombre de la variable.

Esto se vuelve más claro en este ejemplo, donde se hacen dos objetos a partir del mismo constructor. La función jit.mover() se refiere al método mover() que pertenece al objeto jit, y bug.mover() se refiere al método mover() que pertenece al objeto llamado bug:

```
var jit;
var bug;

function setup() {
  createCanvas(480, 120);
  background(204);
  jit = new JitterBug(width * 0.33, height/2, 50);
  bug = new JitterBug(width * 0.66, height/2, 10);
}

function draw() {
  jit.mover();
  jit.mostrar();
  bug.mover();
  bug.mostrar();
}

// Copia aquí el código del constructor de JitterBug
```

Ahora que la función constructor existe como su propio módulo de código, cualquier cambio modificará los objetos hechos con élla. Por ejemplo, podrías añadir una propiedad al constructor JitterBug que controla el color, u otra que determina su tamaño. Estos valores pueden ser pasados usando el constructor o usando métodos adicionales, como setColor() o setSize(). Y como es una unidad auto-contenida, también puedes usar el constructor JitterBug en otro bosquejo.

Ahora es un buen momento para aprender a usar múltiples archivos en JavaScript. Repartir tu código en más de un archivo hace que un código largo sea más fácil de editar y más manejable en general. Usualmente se crea un nuevo archivo por cada constructor, lo que refuerza la modularidad de trabajar con objetos y hace que el código sea más fácil de encontrar.

Crea un nuevo archivo en el mismo directorio que tu actual archivo *sketch.js*. Puedes nombrarlo como quieras, pero es una buena idea nombrarlo *JitterBug.js* por conceptos de organización. Mueve la función constructor JitterBug a este nuevo archivo. Enlaza el archivo *JitterBug.js* en tu archivo HTML añadiendo una línea dentro de HEAD debajo de la línea donde enlazas el archivo *sketch.js*:

```
<script type="text/javascript" src="sketch.js"></script>
<script type="text/javascript" src="JitterBug.js"></script>
```

Robot 8: objetos

Un objeto en software puede combinar métodos (funciones) y propiedades (variables) en una unidad. La función constructor Robot en este ejemplo define todos los objetos robot que serán creados a partir de ella. Cada objeto Robot posee su propio conjunto de propiedades para almacenar una posición y la ilustración que dibujará en la pantalla. Cada uno posee métodos para actualizar la posición y mostrar la ilustración.

Los parámetros de bot1 y bot2 en setup() definen las coordenadas x e y y el archivo *.svg* que será usado para dibujar el robot. Los parámetros tempX y tempY son pasados al constructor y asignados a las propiedades xpos y ypos. El parámetro imgPath es usado para cargar la ilustración asociada. Los objetos (bot1 y bot2) dibujan en su propia ubicación con una ilustración distinta porque cada uno tienen valores distintos pasados a los objetos a través de sus constructores:

```
var img1;
var img2;

var bot1;
var bot2;

function preload() {
  img1 = loadImage("robot1.svg");
  img2 = loadImage("robot2.svg");
}

function setup() {
  createCanvas(720, 480);
  bot1 = new Robot(img1, 90, 80);
  bot2 = new Robot(img2, 440, 30);
}

function draw() {
  background(204);

  // Actualiza y muestra el primer robot
  bot1.actualizar();
  bot1.mostrar();

  // Actualiza y muestra el segundo robot
  bot2.actualizar();
  bot2.mostrar();
}

function Robot(img, tempX, tempY) {
  // Define los valores iniciales de las propiedades
  this.xpos = tempX;
  this.ypos = tempY;
  this.angulo = random(0, TWO_PI);
  this.botImage = img;
  this.ydesplazamiento = 0.0;

  // Actualiza las propiedades
  this.actualizar = function() {
    this.angulo += 0.05;
    this.ydesplazamiento = sin(this.angulo) * 20;
  }
```

```
  // Dibuja el robot en la pantalla
  this.mostrar = function() {
    image(this.botImage, this.xpos,
          this.ypos + this.ydesplazamiento);
  }
}
```

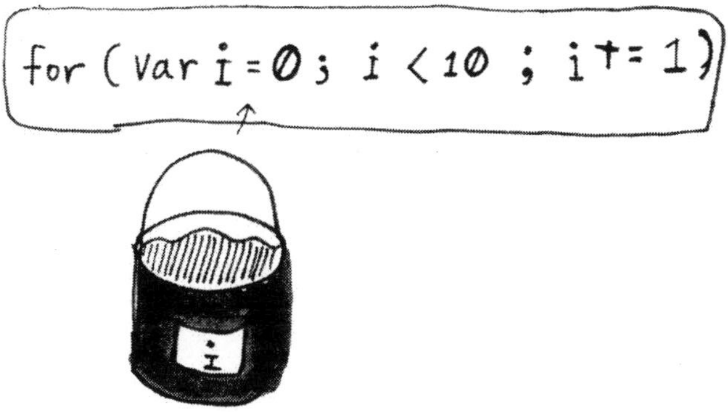
for (var i = 0 ; i < 10 ; i += 1)
i

Arreglos

Un *arreglo* es una lista de variables que comparten el mismo nombre. Los arreglos son útiles porque hacen posible trabajar con más variables sin crear un nombre nuevo para cada una. Esto hace que el código sea más corto, más fácil de leer y de actualizar.

De variables a arreglos

Cuando un programa necesita mantener registro de una o dos cosas, no es necesario crear un arreglo. De hecho, usar un arreglo podría hacer que el programa sea más complicado de lo necesario. Sin embargo, cuando un programa posee muchos elementos (por ejemplo, un campo de estrellas en un juego sobre el espacio o múltiples puntos de datos en una visualización), los arreglos hacen que el código sea más fácil de escribir..

Ejemplo 11-1: Muchas variables

Para entender lo que esto significa, revisa el Ejemplo 8-3. Este código funciona bien si estamos moviendo una sola figura, ¿pero qué pasa si queremos tener dos? Necesitamos crear una nueva variable x y actualizarla dentro de draw():

```
var x1 = -20;
var x2 = 20;
```

```
function setup() {
  createCanvas(240, 120);
  noStroke();
}

function draw() {
  background(0);
  x1 += 0.5;
  x2 += 0.5;
  arc(x1, 30, 40, 40, 0.52, 5.76);
  arc(x2, 90, 40, 40, 0.52, 5.76);
}
```

Ejemplo 11-2: demasiadas variables

El código del ejemplo anterior todavía es manejable, ¿pero qué pasa si queremos tener cinco círculos? Necesitamos añadir tres otras variables a las dos que ya tenemos:

 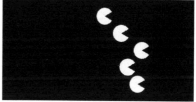

```
var x1 = -10;
var x2 = 10;
var x3 = 35;
var x4 = 18;
var x5 = 30;

function setup() {
  createCanvas(240, 120);
  noStroke();
}

function draw() {
  background(0);
  x1 += 0.5;
  x2 += 0.5;
  x3 += 0.5;
```

```
    x4 += 0.5;
    x5 += 0.5;
    arc(x1, 20, 20, 20, 0.52, 5.76);
    arc(x2, 40, 20, 20, 0.52, 5.76);
    arc(x3, 60, 20, 20, 0.52, 5.76);
    arc(x4, 80, 20, 20, 0.52, 5.76);
    arc(x5, 100, 20, 20, 0.52, 5.76);
}
```

¡Este código está empezando a salirse de control!

Ejemplo 11-3: arreglos, no variables

Imagina lo que pasaría si quisieras tener 3.000 círculos. Esto significaría crear 3.000 variables individuales y luego actualizar cada una de ellas por separado. ¿Podrías mantener registro de esta cantidad de variables? ¿Quieres hacerlo? En vez de eso, usemos un arreglo:

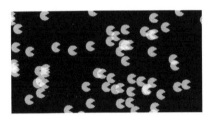 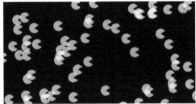

```
var x = [];

function setup() {
  createCanvas(240, 120);
  noStroke();
  fill(255, 200);
  for (var i = 0; i < 3000; i++) {
    x[i] = random(-1000, 200);
  }
}

function draw() {
  background(0);
  for (var i = 0; i < x.length; i++) {
    x[i] += 0.5;
    var y = i * 0.4;
    arc(x[i], y, 12, 12, 0.52, 5.76);
  }
```

```
}
```

Durante el resto de este capítulo revisaremos los detalles que hacen que este ejemplo sea posible.

Construir un arreglo

Cada ítem en el arreglo es llamado un *elemento*, y cada uno tiene un valor de *índice* para señalar su posición dentro del arreglo. Al igual que las coordenadas en el lienzo, los valores de índice de un arreglo se cuentan desde 0. Por ejemplo, el primer elemento en el arreglo tiene un índice con valor 0, el segundo elemento del arreglo tiene un índice con valor 1, y así. Si hay 20 valores en el arreglo, el valor del índice del último elemento es 19. Figura 11-1 muestra la estructura conceptual de un arreglo.

```
int[] años = { 1920, 1972, 1980, 1996, 2010 };
```

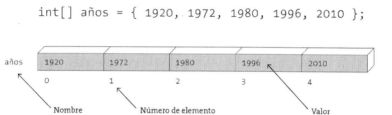

Figura 11-1. Un arreglo es una lista de una o más variables que comparten el mismo nombre

Usar arreglos es similar a trabajar con variables únicas, sigue los mismos patrones. Como ya sabes, con este código puedes crear una sola variable llamada x:

```
var x;
```

Para crear un arreglo, basta con definir que el valor de la variable sea un par de corchetes vacíos:

```
var x = [];
```

Observa que no es necesario declarar por adelantado la longitud del arreglo, la longitud es determinada por el número de elementos que tú pones en él.

Un arreglo puede almacenar todos los diferentes tipos de datos (`boolean`, `number`, `string`, etc.). Puedes mezclar y combinar diferentes tipos de datos en un mismo arreglo.

Antes de que nos adelantemos, paremos y hablemos en mayor detalle sobre el trabajo con arreglos. Existen dos pasos cuando se trabaja con arreglos:

1. Declarar el arreglo.

2. Asignar valores a cada elemento.

Cada paso puede ocurrir en una línea distinta, o se pueden combinar los dos pasos en uno. Cada uno de los dos siguientes ejemplos muestra una técnica diferente para crear un arreglo llamado x que almacena dos números, 12 y 2. Presta mucha atención a lo que ocurre antes de `setup()` y a lo que ocurre dentro de `setup()`.

Ejemplo 11-4: declara y asigna un arreglo

Primero, declaramos un arreglo fuera de `setup()` y luego creamos y asignamos valores dentro. La sintaxis `x[0]` se refiere al primer elemento del arreglo y `x[1]` al segundo:

```
var x = [];       // Declara el arreglo

function setup() {
  createCanvas(200, 200);
  x[0] = 12;      // Asigna el primer valor
  x[1] = 2;       // Asigna el segundo valor
}
```

Ejemplo 11-5: asigna valores en un arreglo de una sola vez

También puedes asignar valores a un arreglo cuando es creado, cuando todo es parte de la misma instrucción:

```
var x = [12, 2]; // Declara y asigna

function setup() {
  createCanvas(200, 200);
}
```

Evita crear arreglos dentro de draw( ), porque crear un nuevo arreglo en cada cuadro hará disminuir la tasa de cuadros.

Ejemplo 11-6: revisitando el primer ejemplo

Como un ejemplo completo de cómo usar arreglos, hemos reescrito el Ejemplo 11-1 aquí. A pesar de que no vemos todavía todos los beneficios revelados en el Ejemplo 11-3, sí vemos algunos detalles importantes de cómo funcionan los arreglos:

```
var x = [-20, 20];

function setup() {
  createCanvas(240, 120);
  noStroke();
}

function draw() {
  background(0);
  x[0] += 0.5;   // Incrementa el primer elemento
  x[1] += 0.5;   // Incrementa el segundo elemento
  arc(x[0], 30, 40, 40, 0.52, 5.76);
  arc(x[1], 90, 40, 40, 0.52, 5.76);
}
```

Repetición y arreglos

El bucle for, introducido en Repetición, hará más fácil trabajar con arreglos grandes mientras el código se mantiene conciso. La idea es escribir un bucle para recorrer cada elemento del arreglo, uno a uno. Para hacerlo, necesitarás saber el largo del arreglo. La propiedad length asociada con cada arreglo almacena el número de elementos. Usamos el nombre del arreglo con el operador punto (un punto) para acceder a este valor. Por ejemplo:

```
var x = [12, 20];        // Declara y asigna valores al arreglo
print(x.length);         // Imprime 2 en la consola

var y = ["gato", 10, false, 50];
print(y.length);         // Imprime 4 en la consola

var z = [];              // Declara un arreglo vacío
print(z.length);         // Imprime 0 en la consola
z[0] = 20;               // Asigna un elemento al arreglo
print(z.length);         // Imprime 1 en la consola
z[1] = 4;                // Asigna un elemento al arreglo
print(z.length);         // Imprime 2 en la consola
```

Ejemplo 11-7: llenando un arreglo con un bucle for

Un bucle for puede ser usado para llenar un arreglo con valores, o para leer los valores. En este ejemplo, primero el arreglo es llenado con números aleatorios dentro de setup(), y luego esos números son usados para definir el trazado dentro de draw(). Cada vez que el programa se ejecuta, un nuevo conjunto de valores aleatorios es ingresado en el arreglo:

```
var gris = [];

function setup() {
  createCanvas(240, 120);
  for (var i = 0; i < width; i++) {
    gris[i] = random(0, 255);
  }
}
```

```
function draw() {
  background(204);
  for (var i = 0; i < gris.length; i++) {
    stroke(gris[i]);
    line(i, 0, i, height);
  }
}
```

En setup(), insertamos tantos elementos como el ancho del lienzo. Esto es un número arbitrario, lo hemos elegido para que al dibujar una línea vertical por cada elemento, se llene el ancho del lienzo. Puedes probar cambiando width a cualquier número. Una vez que los elementos son asignados al arreglo, somos capaces de iterar a través de ellos en draw() usando la propiedad length. No podemos iterar a través del arreglo en setup() porque antes de que se ingrese un elemento, el largo del arreglo gris es 0.

Ejemplo 11-8: sigue la trayectoria del ratón

En este ejemplo, existen dos arreglos para almacenar la posición del ratón - uno para la coordenada *x* y uno para la coordenada *y*. Estos arreglos almacenan la posición del ratón durante los últimos 60 cuadros. En cada nuevo cuadro, los valores de las coordenadas *x* e *y* más antiguas son removidas y reemplazadas con los valores actuales de mouseX y mouseY. Los nuevos valores son añadidos a la primera posición del arreglo, pero antes de que esto ocurra, cada valor del arreglo es movido una posición a la derecha (desde el último hasta el primero) para hacer lugar a los números nuevos. (Revisa Figura 11-2 para ver un diagrama que ilustra este proceso). Este ejemplo visualiza esta acción. Además, en cada cuadro, las 60 coordenadas son usadas para dibujar una serie de elipses en la pantalla:

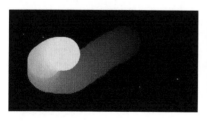 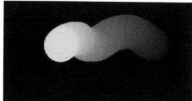

```
var num = 60;
var x = [];
var y = [];
```

```
function setup() {
  createCanvas(240, 120);
  noStroke();

  for (var i = 0; i < num; i++) {
    x[i] = 0;
    y[i] = 0;
  }
}

function draw() {
  background(0);
  // Copia los valores del arreglo de atrás hacia adelante
  for (var i = num-1; i > 0; i--) {
    x[i] = x[i-1];
    y[i] = y[i-1];
  }
  x[0] = mouseX; // Define el primer elemento
  y[0] = mouseY; // Define el primer elemento
  for (var i = 0; i < num; i++) {
    fill(i * 4);
    ellipse(x[i], y[i], 40, 40);
  }
}
```

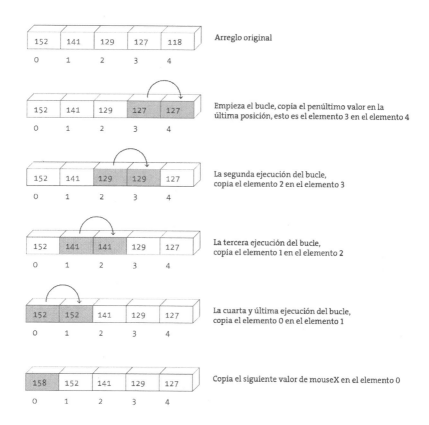

Figura 11-2. Trasladando los valores de un arreglo un lugar hacia la derecha

Arreglos de objetos

Los   dos ejemplos cortos de esta sección juntan cada gran concepto de programación en este libro: iteración, condicionales, funciones, objetos y arreglos. Hacer un arreglo de objetos es casi lo mismo que construir los arreglos que introducimos en las páginas anteriores, pero existe una consideración inicial: como cada elemento es un objeto, primero debe ser creado con la palabra reservada new (tal como cualquier otro objeto) antes de ser asignado a un arreglo. Con un objeto construido por el usuario como JitterBug (revisar 10/Objetos), esto significa que new definirá cada elemento antes de ser asignado al arreglo.

Ejemplo 11-9: administrando varios objetos

Este ejemplo crea un arreglo de 33 objetos JitterBug y luego actualiza y muestra cada uno dentro de draw(). Para que este ejemplo funcione, necesitas añadir la función constructor JitterBug al código:

```
var bichos = [];

function setup() {
  createCanvas(240, 120);
  background(204);
  for (var i = 0; i < 33; i++) {
    var x = random(width);
    var y = random(height);
    var r = i + 2;
    bichos[i] = new JitterBug(x, y, r);
  }
}

function draw() {
  for (var i = 0; i < bugs.length; i++) {
    bichos[i].mover();
    bichos[i].mostrar();
  }
}
```

```
// Copia aquí el código de la función constructor de Jitterbug
```

El ejemplo final de arreglos carga una secuencia de imágenes y almacena cada elemento dentro de un arreglo.

Ejemplo 11-10: secuencias de imágenes

Para ejecutar este ejemplo, obtén las imágenes del archivo *media.zip* tal como fue descrito en el capítulo 7/Medios. Las imágenes tienen nombres secuenciales (*frame-0000.png, frame-0001.png*, etc.), lo que hace posible crear el nombre de cada archivo dentro de un bucle for, tal como vemos en la séptima línea del programa:

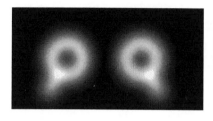 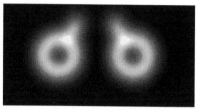

```
var numeroCuadros = 12; // El número de cuadros
var imagenes = []; // Crea el arreglo
var cuadroActual = 0;

function preload() {
  for (var i = 0; i < numeroCuadros; i++) {
    var nombreImagen = "frame-" + nf(i, 4) + ".png";
    imagenes[i] = loadImage(nombreImagen); // Carga cada imagen
  }
}

function setup() {
  createCanvas(240, 120);
  frameRate(24);
}

function draw() {
  image(imagenes[cuadroActual], 0, 0);
  cuadroActual++; // Siguiente cuadro
  if (cuadroActual == imagenes.length) {
    cuadroActual = 0;  // Retorna al primer cuadro
  }
}
```

La función nf() define el formato de números de modo que nf(1, 4) retorna el string "0001" y nf(11, 4) retorna "0011". Estos valores están concatenados con el inicio del nombre del archivo (*frame-*) y la terminación (*.png*) para crear el nombre completo del archivo almacenado en una variable. Los archivos son cargados en un arreglo en la siguiente línea. Las imágenes son mostradas en la pantalla una a la vez en draw(). Cuando la última imagen del arreglo es mostrada, el programa vuelve al principio del arreglo y muestra de nuevo las imágenes en secuencia.

Robot 9: arreglos

Los arreglos hacen más fácil que un programa trabaje con muchos elementos. En este ejemplo, un arreglo de objetos Robot es declarado al principio. El arreglo es luego posicionado dentro de setup(), y cada objeto Robot es creado dentro del bucle for. Dentro de draw(), otro bucle for es usado para actualizar y mostrar cada elemento del arreglo bots.

El bucle for con un arreglo son una combinación poderosa. Observa las diferencias sutiles entre el código de este ejemplo y Robot 8 (revisa Robot 8: objetos) en contraste con los cambios extremos en el resultado visual. Una vez que el arreglo es creado y se incluye un bucle for, es igualmente fácil trabajar con 3 elementos que con 3.000.

```
var imagenRobot;
var bots = [];

function preload() {
  imagenRobot = loadImage("robot1.svg");
}
```

```
function setup() {
  createCanvas(720, 480);

  var numRobots = 20;

  // Crea cada objeto
  for (var i = 0; i < numRobots; i++) {
    // Crea una coordenada x aleatoria
    var x = random(-40, width-40);
    // Asigna la coordenada y basada en el orden
    var y = map(i, 0, numRobots, -100, height-200);
    bots[i] = new Robot(imagenRobot, x, y);
  }
}

function draw() {
  background(204);
  for (var i = 0; i < bots.length; i++) {
    bots[i].actualizar();
    bots[i].mostrar();
  }
}

function Robot(img, tempX, tempY) {
  // Define los valores iniciales de las propiedades
  this.xpos = tempX;
  this.ypos = tempY;
  this.angulo = random(0, TWO_PI);
  this.botImagen= img;
  this.desplazamiento = 0.0;

 // Actualiza las propiedades
  this.actualizar = function() {
    this.angulo += 0.05;
    this.desplazamiento = sin(this.angulo) * 20;
  }

  // Dibuja el robot en la pantalla
  this.mostrar = function() {
    image(this.botImagen, this.xpos,
          this.ypos + this.desplazamiento);
  }
```

```
}
```

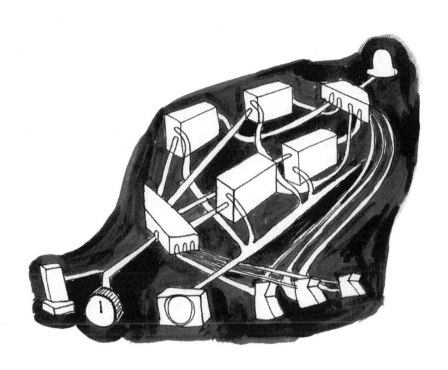

Datos

La visualización de datos es una de las áreas más activas en la intersección entre la programación y las gráficas y también uno de los usos más populares de p5.js. Este capítulo expande lo que se ha discutido en el libro sobre almacenamiento y carga de datos e introduce características adicionales relevantes a conjuntos de datos que pueden ser usadas para visualización.

Existe un gran rango de software que puede producir visualizaciones estándar como gráficos de barras y gráficos de dispersión. Sin embargo, escribir código desde cero para crear visualización nos brinda mayor control sobre el resultado y anima a los usuarios a imaginar, explorar y crear representaciones únicas de datos. Para nosotros, esta es la razón para programar y usar software como p5.js, y encontramos mucho más interesante esto que estar limitado por métodos prefabricados o herramientas ya disponibles.

Resumen de datos

Es un buen momento para rebobinar y discutir sobre cómo los datos fueron introducidos a través de este libro. Una variable en un bosquejo de p5.js es usada para almacenar datos. Empezamos con variables primitivas. En este caso, la palabra *primitiva* significa un solo trozo de información. Por ejemplo, una variable puede almacenar un número o un string.

Un arreglo es creado para almacenar una lista de elementos dentro de un único nombre de variable. Por ejemplo, el Ejemplo 11-7 almacena cientos de números usados para definir el valor del trazo de las líneas. Un objeto es una variable que almacena un conjunto de variables y funciones relacionadas.

Las variables y los objetos pueden ser definidos dentro del código, pero también pueden ser cargados dentro de un archivo en el directorio del *bosquejo*. Los siguientes ejemplos en este capítulo lo demuestran.

Tablas

Muchos conjuntos de datos son almacenados como filas y columnas (ver Figura 12-1), así que p5.js incluye un objeto tabla para hacer más fácil trabajar con ellos. Si has trabajado con hojas de cálculo, tienes una ventaja al momento de trabajar con tablas y código. p5.js puede leer una tabla desde un archivo, o crear directamente una nueva con código. También es posible leer y escribir cualquier fila y columna y modificar celdas individuales dentro de la tabla. En este capítulo, nos enfocaremos en trabajar con datos en tablas.

Figura 12-1. Las tables son matrices de celdas. Las filas son elementos verticales y las columnas son horizontales. Los datos pueden ser leídos desde celdas individuales, filas y columnas.

Los datos en tablas son usualmente almacenados en archivos de texto planos con columnas usando comas o tabulación. Un archivo del tipo *CSV* usa la extensión de archivo *.csv*. Cuando se usa tabulación, se puede usar la extensión *.tsv*.

Para cargar un archivo CSV o TSV, primero ponlo en el directorio del bosquejo tal como se describe en el inicio del capítulo 7/Medios, y luego usa la función `loadTable()` para obtener los datos y almacenarlos en un objeto.

Solamente las primeras líneas de cada conjunto de datos son mostradas en estos ejemplos. Si estás escribiendo manualmente el código, necesitarás el archivo *.csv*, *.json*, o *.tsv* completo para replicar las visualizaciones mostradas en las figuras. Puedes encontrarlos en el archivo *media.zip*.

Los datos para el siguiente ejemplo son una versión simplificada de las estadísticas del jugador David Ortiz del equipo Red Sox, entre 1997 y 2014. De izquierda a derecha, está el año, el número de home runs, carreras remolcadas (RBIs), y promedio de bateo. Cuando el archivo es abierto en un editor de texto, las primeras cinco líneas del archivo se ven así:

```
1997,1,6,0.327
1998,9,46,0.277
1999,0,0,0
2000,10,63,0.282
2001,18,48,0.234
```

Ejemplo 12-1: lee la tabla

Para cargar los datos en p5.js, se crea un objeto usando el constructor p5.Table. El objeto en este ejemplo es llamado estadisticas. La función loadTable() loadTable() carga el archivo *ortiz.csv* desde el directorio de tu *bosquejo*. La función se encuentra dentro de preload() para asegurar que esté completamente cargada antes de que los datos sean usados en setup().

En setup(), el bucle for lee cada fila de la tabla en secuencia. Obtiene los datos desde la tabla y los almacena en variables. El método getRowCount() es usado para contar el número de filas en cada archivo de datos. Como los datos sobre las estadísticas de Ortiz van de 1997 a 2014, hay 18 filas que leer:

```
var estadisticas;

function preload() {
  estadisticas = loadTable("ortiz.csv");
}

function setup() {
  for (var i = 0; i < estadisticas.getRowCount(); i++) {
    // Obtiene el valor de la fila i, columna 0 del archivo
    var periodo = estadisticas.get(i, 0);
    // Obtiene el valor de la fila i, columna 1
    var homeRuns = estadisticas.get(i, 1);
    var rbi = estadisticas.get(i, 2);
    var promedio = estadisticas.get(i, 3);
    print(periodo, homeRuns, rbi, promedio);
  }
}
```

Dentro del bucle `for`, el método `get()` es usado para acceder a los datos de la tabla. Este método posee dos parámetros: el primero es la fila a leer y el segundo es la columna.

Ejemplo 12-2: dibuja la tabla

El siguiente ejemplo se basa en el anterior. Crea un arreglo llamado `homeRuns` para almacenar los datos después de ser cargados dentro de `setup()` y los datos del arreglo son usados dentro de `draw()`. El largo del arreglo es usado dos veces con el código `homeRuns.length`, para contar el número de iteraciones de un bucle `for`. Primero es usado para poner una marca vertical por cada elemento en el arreglo. Luego es usado para leer cada elemento del arreglo uno por uno y parar de leer del arreglo cuando termina. Después de que los datos son cargados dentro de `preload()` y leídos desde el arreglo en `setup()`, el resto de este programa aplica lo que aprendimos en el capítulo 11/Arreglos. La función `getNum()` es usada en vez de `get()` para asegurar que el valor sea entendido como un número a usar en el gráfico.

Este ejemplo es la visualización de una versión simplificada de las estadísticas de bateo entre 1997 y 2014 del jugador David Ortiz de los Boston Red Sox, dibujados con los datos de una tabla:

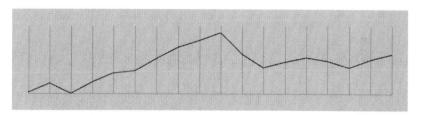

```
var estadisticas;
var homeRuns = [];

function preload() {
  estadisticas = loadTable("ortiz.csv");
}

function setup() {
  createCanvas(480, 120);
  var numeroFilas = estadisticas.getRowCount();
  homeRuns = [];
  for (var i = 0; i < numeroFilas; i++) {
```

```
      homeRuns[i] = estadisticas.getNum(i, 1);
  }
}

function draw() {
  background(204);
  // Dibuja la matriz de fondo para los datos
  stroke(153);
  line(20, 100, 20, 20);
  line(20, 100, 460, 100);
  for (var i = 0; i < homeRuns.length; i++) {
    var x = map(i, 0, homeRuns.length-1, 20, 460);
    line(x, 20, x, 100);
  }
  // Dibuja líneas basadas en los datos de home run
  noFill();
  stroke(0);
  beginShape();
  for (var i = 0; i < homeRuns.length; i++) {
    var x = map(i, 0, homeRuns.length-1, 20, 460);
    var y = map(homeRuns[i], 0, 60, 100, 20);
    vertex(x, y);
  }
  endShape();
}
```

Este ejemplo es tan minimalista que no es necesario guardar estos datos en un arreglo, pero la idea puede ser aplicada a ejemplos más complejos que podrías querer hacer en el futuro. Adicionalmente, puedes ver cómo este ejemplo puede ser expandido con más información - por ejemplo, la información en el eje vertical puede definir el número de home runs y en el horizontal definir el año.

Ejemplo 12-3: 29.740 ciudades

Para tener una mejor idea del potencial de trabajar con tablas de datos, el siguiente ejemplo usa un conjunto de datos más grande e introduce una característica conveniente. Esta tabla de datos es diferente, porque la primera fila, la primera línea en el archivo, es un *encabezado*. El encabezado define una etiqueta por columna para clarificar el contexto. Estas son las primeras cinco líneas de nuestro archivo de datos llamado *cities.csv*:

```
zip,state,city,lat,lng
```

```
35004,AL,Acmar,33.584132,-86.51557
35005,AL,Adamsville,33.588437,-86.959727
35006,AL,Adger,33.434277,-87.167455
35007,AL,Keystone,33.236868,-86.812861
```

El encabezado hace más fácil leer el código - por ejemplo, la segunda línea
del archivo establece que el código zip de Acmar, Alabama es 35004 y define
la latitud de la ciudad como 33.584132 y la longitud como -86.51557. En total,
el archivo tiene un largo de 29.741 líneas y define la ubicación y los códigos
zip de 29.740 ciudades en Estados Unidos. El siguiente ejemplo carga estos
datos dentro la función preload()y luego los dibuja en la pantalla con un
bucle for dentro de draw(). La función definirXY() convierte la latitud y
la longitud de un archivo en una elipse en la pantalla:

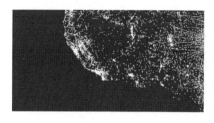 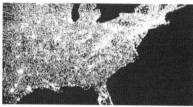

```
var ciudades;

function preload() {
  ciudades = loadTable("cities.csv", "header");
}

function setup() {
  createCanvas(480, 240);
  fill(255, 150);
  noStroke();
}

function draw() {
  background(0);
  var xdesplazamiento = map(mouseX, 0, width, -width*3, -width);
  translate(xdesplazamiento, -600);
  scale(10);
  for (var i = 0; i < ciudades.getRowCount(); i++) {
    var latitud = ciudades.getNum(i, "lat");
    var longitud = ciudades.getNum(i, "lng");
    definirXY(latitud, longitud);
  }
```

```
}

function definirXY(lat, lng) {
  var x = map(lng, -180, 180, 0, width);
  var y = map(lat, 90, -90, 0, height);
  ellipse(x, y, 0.25, 0.25);
}
```

Dentro de la función preload(), observa que hay un segundo parámetro
"header" añadido a la función loadTable(). Si esto no es realizado, el
código tratará la primera línea del archivo CSV como datos y no como el
título de cada columna.

p5.Table posee docenas de métodos para lograr añadir y remover
columnas y filas, obtener una lista de entradas únicas en una columna, o
ordenar la tabla. Una lista más completa de métodos y ejemplos cortos son
incluidos en la *Referencia de p5.js*.

JSON

El formato JSON (JavaScript Object Notation) es otro sistema común para
almacenar datos. Tal como los formatos HTML y XML, los elementos tienen
etiquetas asociadas a ellos. Por ejemplo, los datos de una película pueden
incluir etiquetas para el título, director, año de lanzamiento, calificación y
más. Estas etiquetas serán emparejadas con datos de la siguiente manera:

```
"title": "Alphaville"
"director": "Jean-Luc Godard"
"year": 1964
"rating": 9.1
```

Para funcionar como un archivo JSON, se necesita un poco de puntuación
para separar los elementos. Se usan comas entre cada par de datos y llaves
para encapsular. Los datos definidos dentro de las llaves son un *objeto* JSON.
Con estos cambios nuestro archivo de datos JSON con un formato válido
luce así:

```
{
  "title": "Alphaville",
  "director": "Jean-Luc Godard",
  "year": 1964,
  "rating": 9.1
}
```

Existe otro detalle interesante en este corto ejemplo JSON relacionado a los tipos de datos: te darás cuenta que los datos de título y director están encerrados en comillas para demarcarlos como datos de tipo string, mientras que el año y la calificación no tienen comillas para definirlos como números. Esta distinción se hace importante después de cargar los datos en un bosquejo.

Para añadir otra película a la lista, se usa un par de corchetes en el comienzo y el final del archivo JSON para significar que los datos son un arreglo de objetos JSON. Cada objeto es separado por una coma. Poniendo todo esto en práctica, se ve así:

```json
[
  {
    "title": "Alphaville",
    "director": "Jean-Luc Godard",
    "year": 1965,
    "rating": 9.1
  },
  {
    "title": "Pierrot le Fou",
    "director": "Jean-Luc Godard",
    "year": 1965,
    "rating": 7.3
  }
]
```

Este patrón puede ser repetido para incluir más películas. En este punto, es interesante comparar esta notación JSON a la representación de tabla correspondiente a los mismos datos. Como un archivo CSV, los datos hubieran lucido así:

```
title, director, year, rating
Alphaville, Jean-Luc Godard, 1965, 9.1
Pierrot le Fou, Jean-Luc Godard, 1965, 7.3
```

Observa que la notación CSV usa menos caracteres, lo que puede ser importante al momento de trabajar con conjuntos enormes de datos. Por otro lado, la versión JSON es usualmente más fácil de leer porque cada trozo de información está etiquetado.

Ahora que se han introducido las nociones básicas de JSON y su relación con las tablas, revisemos el código necesario para cargar un archivo JSON a un bosquejo de p5.js.

Ejemplo 12-4: leer un archivo JSON

Este bosquejo carga el archivo JSON visto al principio de esta sección, el archivo que incluye solamente los datos de la película *Alphaville*:

```
var pelicula;

function preload() {
  pelicula = loadJSON("film.json");
}

function setup() {
  var titulo = pelicula.title;
  var dir = pelicula.director;
  var periodo = pelicula.year;
  var calificacion = pelicula.rating;
  print(titulo + " por " + dir + ", " + periodo +
". Calificación: " + calificacion);
}
```

Los datos del archivo son cargados en la variable. Los valores individuales pueden ser accesados usando el operador punto, de forma similar a como accedemos a las propiedades dentro de un objeto.

Ejemplo 12-5: visualiza datos a partir de un archivo JSON

También podemos trabajar con un archivo JSON que contenga más de una película. Aquí, el archivo de datos comenzado en el ejemplo previo ha sido actualizado para incluir todas las películas del director entre 1960 y 1966. El nombre de cada película es posicionado en orden en la pantalla según el año de lanzamiento y es asignado un valor en la escala de grises según su calificación.

Existen varias diferencias entre este ejemplo y el Ejemplo 12-4. La más importante es la manera en que el archivo JSON es cargado en los objetos `Pelicula`. El archivo JSON es cargado dentro de `preload()`, poblando la variable `datosPelicula` con un arreglo que tiene la misma estructura que los datos en el archivo. En `setup()`, se usa un bucle `for` para iterar a través del arreglo de datos de las películas y crear un objeto basado en cada elemento en el arreglo, usando el constructor `Pelicula` definido aquí. El constructor accede a porciones de la información y las asigna a propiedades dentro de cada objeto. El constructor `Pelicula` también define un método para mostrar el nombre de la película:

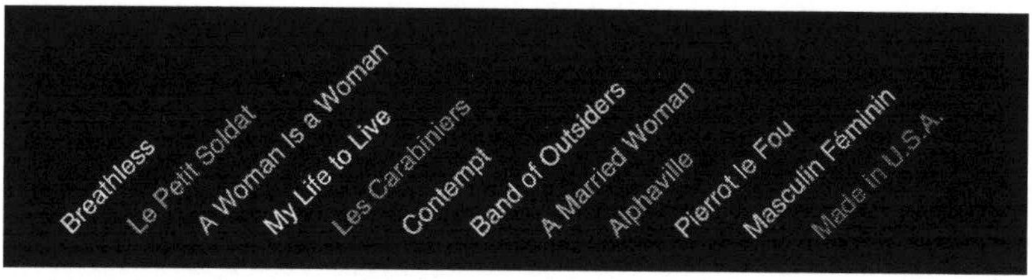

```
var peliculas = [];
var datosPelicula;

function preload() {
  datosPelicula = loadJSON("films.json");
}

function setup() {
  createCanvas(480, 120);
  for (var i = 0; i < datosPelicula.length; i++) {
    var o = datosPelicula[i];
    peliculas[i] = new Pelicula(o);
  }
  noStroke();
}

function draw() {
  background(0);
  for (var i = 0; i < peliculas.length; i++) {
    var x = i*32 + 32;
    peliculas[i].mostrar(x, 105);
  }
}

function Film(f) {
  this.titulo = f.title;
  this.director = f.director;
  this.periodo = f.year;
  this.calificacion = f.rating;

  this.mostrar = function(x, y) {
    var calificacionGris = map(this.calificacion,
                               6.5, 8.1, 102, 255);
    push();
    translate(x, y);
    rotate(-QUARTER_PI);
```

```
      fill(calificacionGris);
      text(this.titulo, 0, 0);
      pop();
   };
}
```

Este ejemplo es un esbozo de la visualización de los datos de las películas. Muestra cómo cargar los datos y cómo dibujar según los valores de los datos, pero queda como desafío tuyo darle un formato y acentuar lo que tú encuentras más interesante en los datos. Por ejemplo, ¿es más interesante mostrar el número de peliculas que Godard hizo cada año? ¿Es más interesante comparar y contrastar estos datos con las películas de otro director? ¿Será esto más facil de leer con una tipografía distinta, con otro tamaño del bosquejo o relación de aspecto? Las habilidades presentadas en los ejemplos anteriores de este libro pueden ser aplicadas para llevar este bosquejo al siguiente nivel de refinamiento.

Datos de redes y APIs

El acceso público a cantidades gigantes de datos recolectados por gobiernos, corporaciones, organizaciones e individuos está cambiando nuestra cultura, desde la manera en que socializamos hasta cómo pensamos ideas intangibles como la privacidad. Estos datos son muy frecuentemente accesados a través de estructuras de software llamadas *APIs*.

El acrónimo *API* es misterioso y su significado — interfaz de programación de aplicaciones — no es mucho más clara. Sin embargo, las APIs son esenciales para trabajar con datos y no son necesariamente difíciles de entender. Esencialmente, son requerimientos de datos hechos a un servicio. Cuando los conjuntos de datos son enormes, no es práctico ni deseable copiar la totalidad de los datos. Una API le permite a un programador pedir solamente los datos que son relevante dentro de este gran océano.

El concepto puede ser ilustrado de manera más clara con un ejemplo hipotético. Asumamos que existe una organización que mantiene una base de datos de rangos de temperatura para cada ciudad dentro de un país. La API para este conjunto de datos le permite a un programador pedir las temperaturas máxima y mínimas de cualquier ciudad durante el mes de octubre del año 1972. Para requerir estos datos, la petición debe ser hecha mediante una línea o líneas de código específicas, en el formato requerido por el servicio de datos.

Algunas APIs son completamente públicas, pero muchas requieren autentificación, lo que corresponde típicamente a una identidad de usuario (ID) o llave para que el servicio de datos pueda mantener registro de sus usuarios. La mayoría de las APIs posee reglas sobre cuántos y cuán frecuentemente se pueden hacer peticiones. Por ejemplo, puede ser posible hacer solamente 1.000 peticiones al mes, o no más de una petición por segundo.

p5.js puede solicitar datos a través de Internet cuando el computador está corriendo el programa en línea. Los archivos CSV, TSV, JSON y XML pueden ser cargados usando la función correspondiente de carga usando la URL como parámetro. Por ejemplo, el clima actual en Cincinnati está disponible en formato JSON en esta URL: *http://api.openweathermap.org/data/2.5/find?q=Cincinnati&units=imperial*.

Lee la URL detenidamente para decodificarla:

1. Pide datos al subdominio *api* del sitio *openweathermap.org*.
2. Especifica una ciudad a buscar (*q* es una abreviación de *query* (búsqueda), lo que es usado frecuentemente en URLs para especificar búsquedas).
3. También indica que los datos deben ser retornados en formato imperial, lo que significa que la temperatura estará en Fahrenheit. Reemplazando *imperial* por *metric* se obtendrá la temperatura en grados Celsius.

Revisar estos datos de OpenWeatherMap es un ejemplo más realista de trabajo con datos encontrados que los conjuntos anteriores de datos simplificados. Al momento de escribir, el archivo retornado por la URL es el siguiente:

```
{"message":"accurate","cod":"200","count":1,"list":[{"id":
4508722,"name":"Cincinnati","coord":{"lon":-84.456886,"lat":
39.161999},"main":{"temp":34.16,"temp_min":34.16,"temp_max":
34.16,"pressure":999.98,"sea_level":1028.34,"grnd_level":
999.98,"humidity":77},"dt":1423501526,"wind":{"speed":
9.48,"deg":354.002},"sys":{"country":"US"},"clouds":{"all":
80},"weather":[{"id":803,"main":"Clouds","description":
"broken clouds","icon":"04d"}]}]}
```

Este archivo es mucho más fácil de leer cuando es retornado con saltos de línea, y cuando el objeto JSON y las estructuras del arreglo están definidas con llaves y corchetes:

```json
{
  "message": "accurate",
  "count": 1,
  "cod": "200",
  "list": [{
    "clouds": {"all": 80},
    "dt": 1423501526,
    "coord": {
      "lon": -84.456886,
      "lat": 39.161999
    },
    "id": 4508722,
    "wind": {
      "speed": 9.48,
      "deg": 354.002
    },
    "sys": {"country": "US"},
    "name": "Cincinnati",
    "weather": [{
      "id": 803,
      "icon": "04d",
      "description": "broken clouds",
      "main": "Clouds"
    }],
    "main": {
      "humidity": 77,
      "pressure": 999.98,
      "temp_max": 34.16,
      "sea_level": 1028.34,
      "temp_min": 34.16,
      "temp": 34.16,
      "grnd_level": 999.98
    }
  }]
}
```

Observa que los corchetes en las secciones de "list" y "weather", indican un arreglo de objetos JSON. Aunque el arreglo en este ejemplo solamente contiene un ítem, en otros casos, la API podría retornar varios días o varaciones de múltiples estaciones metereolóigicas.

Ejemplo 12-6: procesando la información del clima

El primer paso cuando se trabaja con estos datos es estudiarlos y luego escribir un poco de código para extraer los datos deseados. En este caso, queremos saber la temperatura actual. Podemos ver que nuestro dato de temperatura es 34.16. Está etiquetado como temp y está dentro del objeto main,que está adentro del arreglo list. Una función llamada getTemp() fue escrita específicamente para que este código funcione con el formato de esta organización de archivos JSON específica:

```
var datosClima;

function preload() {
  datosClima = loadJSON("cincinnati.json");
}

function setup() {
  var temp = obtenerTemp(datosClima);
  print(temp);
}

function obtenerTemp(datos) {
  var lista = datos.list;
  var item = lista[0];
  var principal = item.main;
  var temperatura = principal.temp;
  return temperatura;
}
```

Los datos del archivo JSON son cargados en preload() y son pasados a la función obtenerTemp() dentro de setup(). Luego, por el formato del archivo JSON, una serie de variables es usada para ir más y más profundo dentro de la estructura de los datos para finalmente llegar al número que deseamos. Este número es almacenado en la variable temperatura y luego es retornada por la función para ser asignada a la variable temp en setup() donde es impresa en la consola.

Ejemplo 12-7: concatenando métodos

La secuencia de variables JSON creada en sucesión en el ejemplo anterior puede ser realizada de ujna forma distinta concatenando accesores. Este ejemplo funciona como el Ejemplo 12-6, pero los métodos están conectadas con el operador punto, en vez de ser calculados uno a la vez y asignados a variables intermedias:

```
var datosClima;

function preload() {
  datosClima = loadJSON("cincinnati.json");
}

function setup() {
  var temp = obtenerTemp(datosClima);
  print(temp);
}

function obtenerTemp(datos) {
  return datos.list[0].main.temp;
}
```

Además observa cómo la temperatura final es retornada por la función obtenerTemp(). En el Ejemplo 12-6, se crea una variable para almacenar el valor y luego ese valor es retornado. Aquí, el valor de la temperatura es retornado directamente, sin una variable intermedia.

Este ejemplo puede ser modificado para acceder a más datos de la organización y para construir un bosquejo que muestre los datos en la pantalla en vez de solamente escribirlos en la consola. También puedes modificarlo para que lea datos de otra API - te encontrarás con que los datos retornados por muchas APIs comparten un formato similar.

Robot 10: datos

El ejemplo final de robot en este libro es diferente del resto porque tiene dos partes. La primera parte genera un archivo usando valores aleatorios y bucles `for` y la segunda parte lee ese archivo de datos para dibujar un ejército de robots en la pantalla.

El primer bosquejo usa dos nuevos elementos de código, la clase `PrintWriter` y la función `createWriter()`. Usadas en conjunto, crean y abren un archivo en el directorio del bosquejo para almacenar los datos generados por el bosquejo. En este ejemplo, el objeto creado con `PrintWriter` es llamado `salida` y el archivo es llamado *ejercitoBot.tsv*. En los bucles, los datos son escritos en el archivo al ejecutar el método `println()` en el objeto de salida. Aquí, los valores aleatorios son usados para definir cuál de las tres imágenes del robot serán dibujadas por cada coordenada. Para que el archivo se cree correctamente, el método `close()` debe ser ejecutado antes de que el programa se detenga. El código que dibuja una elipse es un adelanto visual para revelar la posición de la coordenada en la pantalla, pero observa que la elipse no está grabada en el archivo:

```
var salida;

function setup() {
  createCanvas(720, 480);
```

```
// Crea el archivo nuevo
salida = createWriter("ejercitoBots.tsv");

salida.println("tipo\tx\ty");
for (var y = 0; y <= height; y += 60) {
  for (var x = 0; x <= width; x += 20) {
    var tipoRobot = int(random(1, 4));
    salida.println(tipoRobot + "\t" + x + "\t" + y);
    ellipse(x, y, 12, 12);
  }
}
salida.close();  // Cierra el archivo
}
```

Después que el programa es ejecutado, el archivo *ejercitoBot.tsv* es creado dentro del directorio del *bosquejo*. Ábrelo para revisar cómo se escribieron los datos. Las primeras cinco líneas de código de este archivo serán similares a esto:

tipo	x	y
3	0	0
1	20	0
2	40	0
1	60	0
3	80	0

La primera columna es usada para definir la imagen de robot a usar, la segunda columna es la coordenada *x*, y la tercera columna es la coordenada *y*. El siguiente bosquejo carga este archivo *ejercitoBot.tsv* y usa los datos para estos propósitos:

```
var robots;
var bot1;
var bot2;
var bot3;

function preload() {
  bot1 = loadImage("robot1.png");
  bot2 = loadImage("robot2.png");
  bot3 = loadImage("robot3.png");
  robots = loadTable("ejercitoBot.tsv", "header");
}
```

```
function setup() {
  createCanvas(720, 480);
  imageMode(CENTER);
  for (var i = 0; i < robots.getRowCount(); i++) {
    var bot = robots.getNum(i, "tipo");
    var x = robots.getNum(i, "x");
    var y = robots.getNum(i, "y");
    var escala = 0.15;
    if (bot == 1) {
      image(bot1, x, y, bot1.width*escala, bot1.height*escala);
    } else if (bot == 2) {
      image(bot2, x, y, bot2.width*escala, bot2.height*escala);
    } else {
      image(bot3, x, y, bot3.width*escala, bot3.height*escala);
    }
  }
}
```

Una variación más concisa (y flexible) de este bosquejo usando arreglos:

```
var numeroTiposRobot = 3;
var imagenes = [];
var escala = 0.15;
var ejercitoBot;

function preload() {
  for (var i = 0; i < numeroTiposRobot; i++) {
    imagenes[i] = loadImage("robot" + (i+1) + ".png");
  }
  ejercitoBot = loadTable("ejercitoBot.tsv", "header");
}

function setup() {
  createCanvas(720, 480);
  imageMode(CENTER);
  for (var i = 0; i < ejercitoBot.getRowCount(); i++) {
    var robotType = ejercitoBot.getNum(i, "type");
    var x = ejercitoBot.getNum(i, "x");
    var y = ejercitoBot.getNum(i, "y");
    var bot = imagenes[robotType - 1];
    image(bot, x, y, bot.width * escala, bot.height * escala);
  }
}
```

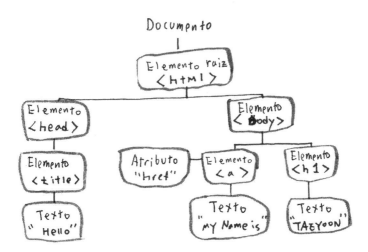

Documento

Elemento raiz
< html >

Elemento
< head >

Elemento
< Body >

Elemento
< title >

Atributo
"href"

Elemento
< a >

Elemento
< h 1 >

Texto
" Hello "

Texto
" My Name is "

Texto
"TAEYOON"

Es una representación estructurada del documento
y también una estructura que puede ser accedida
por programas para cambiar estructura, estilo y style,
contenido del documento.

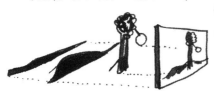

Conecta la página web
web a lenguajes de
programación bajo la
superficie.

Propiedad

Evento

Método

Navegador

Extensión

Este libro se enfoca en usar p5.js para realizar gráficas interactivas, porque eso es lo principal que p5.js hace. Sin embargo, este software puede realizar mucho más y está siendo extendido aún más todo el tiempo.

Una *biblioteca* de p5.js es un conjunto de código que extiende el software más allá de sus funciones principales. Las bibliotecas han sido importantes para el crecimiento de este proyecto, porque le permite a los desarrolladores añadir nuevas funciones rápidamente. Como proyectos autocontenidos y más pequeños, las bibliotecas son más fáciles de manejar que si sus características estuvieran integradas al software principal.

El archivo *.zip* completo de p5.js incluye las bibliotecas p5.dom y p5.sound. También puedes descargar otras bibliotecas desde *http://p5js.org/es/libraries/*. Para usar una de estas bibliotecas, primero asegúrate de que está dentro del directorio que contiene tus archivos HTML y JavaScript. En segundo lugar, añade una línea de código a tu archivo HTML para indicar que la biblioteca será usada en el bosquejo actual. Esta línea debería verse así:

```
<script language="javascript" type="text/javascript"
src="ruta/relativa/a/p5.nombreBiblioteca.js"></script>
```

ruta/relativa/a debería ser reemplazado por la ubicación requerida para ubicar el archivo de biblioteca relativo al archivo HTML. Si necesitas subir un directorio, inserta "..". Por ejemplo, si estás trabajando con el ejemplo vacío y con *p5.sound.js* de la descarga de p5.js completo, la línea sería así.

```
<script language="javascript" type="text/javascript" src="../
p5.sound.js"></script>
```

p5.sound

La biblioteca de audio p5.sound tiene la habilidad de reproducir, analizar y generar (sintetizar) sonido. A continuación se presentan unas pocas funciones clave; consulta la *Referencia de p5.js* para conocer más objetos que pueden ser creados y funciones que pueden ser llamadas: *http://p5js.org/ es/reference/#/libraries/p5.sound*.

Al igual que las imágenes, los archivos JSON, y los archivos de texto introducidos en el capítulo 7/Medios, un archivo de sonido es otro tipo de medio capaz de extender un bosquejo de p5.js. Sigue las instrucciones en ese capítulo para aprender cómo cargar un archivo de sonido en el directorio de un bosquejo. La biblioteca p5.sound puede cargar un gran rango de formatos de archivos de audio incluyendo WAV, AIFF y MP3. Una vez que un archivo es cargado, puede ser reproducido, detenido y repetido, además de ser distorsionado con funciones de efecto.

Ejemplo 13-1: reproduce un archivo

El uso más común de la biblioteca p5.sound es reproducir un sonido cuando un evento ocurre en la pantalla o como música de fondo. Este ejemplo se basa en el Ejemplo 8-5 para reproducir un sonido cuando la figura llega a los bordes de la pantalla. El archivo *blip.wav* es incluido en la carpeta *media* que puede ser descargada siguiendo las instrucciones del capítulo 7/Medios. Así como con otros archivos, en la parte superior del bosquejo se define una variable para almacenar un objeto p5.SoundFile (lo que la función loadSound() retorna), es cargada dentro de preload(), y después de eso, puede ser usada en cualquier parte del programa:

```
var blip;

var radio = 120;
var x = 0;
var velocidad = 1.0;
var direccion = 1;

function preload() {
  blip = loadSound("blip.wav");
}

function setup() {
  createCanvas(440, 440);
```

```
    ellipseMode(RADIUS);
    x = width/2; // Parte en el centro
}

function draw() {
    background(0);
    x += velocidad * direccion;
    if ((x > width - radio) || (x < radio)) {
        direccion = -direccion; // Invertir direccion
        blip.play();
    }
    if (direccion == 1) {
        arc(x, 220, radio, radio, 0.52, 5.76); // Hacia la derecha
    } else {
        arc(x, 220, radio, radio, 3.67, 8.9); // Hacia la izquierda
    }
}
```

El sonido es reproducido cada vez que se ejecuta el método play(). Este
ejemplo funciona bien porque el sonido solamente se reproduce cuando el
valor de la variable x está dentro de los bordes de la pantalla. Si el sonido
fuera reproducido en cada ejecución de draw(), el sonido se reiniciaría 60
veces por segundo y no tendría tiempo de terminar de reproducirse. El
resultado sería un sonido distorsionando rápidamente. Para reproducir un
archivo más largo mientras se ejecuta un programa, llama a los métodos
play() o loop() del sonido dentro de setup() para que así el sonido se
ejecute una sola vez.

El objeto p5.SoundFile posee muchos métodos para controlar cómo un
sonido es reproducido. Los más esenciales son play() para reproducir la
muestra una sola vez, loop() para reproducirlo de principio a fin una y otra
vez, stop() para detener la reproducción, y jump() para saltar a un
momento específico dentro del archivo.

Ejemplo 13-2: escucha un micrófono

Además de reproducir sonidos, p5.js puede escuchar. Si tu computador posee un micrófono incorporado o conectado, la biblioteca p5.sound puede escuchar audio en vivo a través de él. Una vez que los datos del micrófono están conectados al software, los puedes analizar, modificar o reproducir:

```
var mic;
var amp;

var escala = 1.0;

function setup() {
  createCanvas(440, 440);
  background(0);
  // Crea una entrada de audio y empieza a escuchar
  mic = new p5.AudioIn();
  mic.start();
  // Crea un nuevo analizador de amplitud y conéctalo a la entrada
  amp = new p5.Amplitude();
  amp.setInput(mic);
}


function draw() {
  // Dibuja un fondo que se vaya a negro
  noStroke();
  fill(0, 10);
  rect(0, 0, width, height);
  // El método getLevel() retorna valores entre 0 y 1,
```

```
    // así que map() es usado para convertir los valores
    // a números mayores
    escala = map(amp.getLevel(), 0, 1.0, 10, width);
    // Dibuja el círculo basado en el volumen
    fill(255);
    ellipse(width/2, height/2, escala, escala);
}
```

Hay dos secciones que están obteniendo la amplitud (volumen) del
micrófono conectado. El objeto p5.AudioIn es usado para obtener la señal
del micrófono y el objeto p5.Amplitude es usado para medir la señal.

Las variables para almacenar ambos objetos está definidas en la parte
superior del código y creadas dentro de setup(). Después del objeto
p5.Amplitude (en este programa se llama amp), el objeto p5.AudioIn,
llamado mic, es conectado al objeto amp on el método setInput().
Después de eso, el método getLevel() del objeto amp puede ser ejecutado
en cualquier momento para leer la amplitud de los datos de micrófono
dentro del programa. En este ejemplo, esto es realizado en cada ejecución de
draw() y el valor es usado para definir el tamaño del círculo.

Además de reproducir un sonido y analizar un sonido como fue demostrado
en los últimos dos ejemplos, p5.js puede directamente sintetizar sonido. Los
bloques fundamentales de la síntesis de sonido son ondas, entre las que se
incluyen *ondas sinusoidales, ondas triangulares* y *ondas cuadradas.* Una
onda sinusoidal tiene un sonido agradable, una onda cuadrada es más dura
y una onda triangular está entre medio. Cada onda tiene un número de
propiedades. La *frecuencia*, medida en Hertz, determina la altura, cuán
grave o agudo es el tono. La *amplitud* de la onda determina el volumen, el
nivel de intensidad.

Ejemplo 13-3: crea una onda sinusoidal

En el siguiente ejemplo, el valor de mouseX determina la frecuencia de una
onda sinusoidal. A medida que el ratón se mueve hacia izquierda y derecha,
la frecuencia audible y la correspondiente visualización de la onda
aumenta y decae:

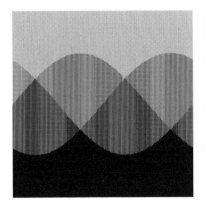

```
var sinusoide;

function setup() {
  createCanvas(440, 440);
  // Crea e inicializa el oscilador sinusoidal
  sinusoide = new p5.SinOsc();
  sinusoide.start();
}

function draw() {
  background(0);
  // Mapea el valor de mouseX entre 20 Hz y 440 Hz
  // para la frecuencia
  var hertz = map(mouseX, 0, width, 20.0, 440.0);
  sinusoide.freq(hertz);
  // Dibuja una onda para visualizar la frecuencia del sonido
  stroke(204);
  for (var x = 0; x < width; x++) {
    var angulo = map(x, 0, width, 0, TWO_PI * hertz);
    var valorSinusoide = sin(angulo) * 120;
    line(x, 0, x, height/2 + valorSinusoide);
  }
}
```

El objeto `sinusoide`, creado a partir del constructor `p5.SinOsc`, es definido al principio del código y luego creado dentro de `setup()`. El método `start()` causa que la onda empiece a generar sonido. Dentro de `draw()`, el método `freq()` define continuamente la frecuencia de la onda, basándose en la posición izquierda y derecha del ratón.

p5.dom

La biblioteca p5.dom posee la habilidad de crear e interactuar con elementos HTML fuera del lienzo gráfico. *DOM* proviene de *Document Object Model*, que se refiere a un conjunto de métodos para interactuar programáticamente con la página HTML. Los siguientes ejemplos introducen unas pocas funciones clave. Revisa la *Referencia de p5.js* para conocer más elementos que pueden ser creados y funciones que pueden ser llamadas: *http://p5js.org/es/reference/#/libraries/p5.dom*.

Tal como `createCanvas()` crea un lienzo gráfico en la página, p5.dom incluye un número de otros métodos `create` para añadir otros elementos HTML a la página. Entre los ejemplos se incluyen video, enlaces URL, cuadros para ingresar texto y barras deslizadoras.

Example 13-4: accede a la webcám

`createCapture()` accede a la cámara de tu computador y crea un elemento HTML que muestra su audio y video. Una vez que el elemento de captura es creado, puede ser dibujado en el lienzo y manipulado:

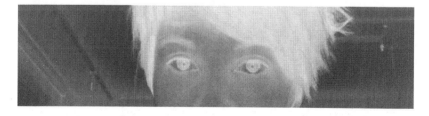

```
var captura;

function setup() {
  createCanvas(480, 120);
  captura = createCapture();
  captura.hide();
}
```

```
function draw() {
    var relacionDeAspecto = captura.height/capture.width;
    var h = width * relacionDeAspecto;
    image(captura, 0, 0, width, h);
    filter(INVERT);
}
```

El objeto captura está definido en la parte superior del código y luego es
creado dentro de setup(). createCapture() de hecho adjunta un nuevo
elemento a la página, pero como queremos dibujarlo en el lienzo, se usa el
método hide() para esconder el objeto de captura. Revisa lo que pasa
cuando descomentas esta línea de código.

Deberías ver dos copias del video, una invertida y una normal.

Los datos del objeto captura son dibujados en el lienzo en la función draw()
e invertidos usando el método filter() .

Ejemplo 13-5: crea una barra deslizadora

createSlider() crea una barra deslizadora que puede ser usada para
manipular aspectos del bosquejo. Acepta tres argumentos - el valor
mínimo, el valor máximo y el valor inicial:

```
var barra;

function setup() {
    createCanvas(480, 120);
    barra = createSlider(0, 255, 100);
    barra.position(20, 20);
}

function draw() {
    var gris = barra.value();
    background(gris);
}
```

El objeto barra es definido en la parte superior del código y luego creado dentro de `setup()`. Por defecto, el elemento será adjuntado a la página, justo después del elemento más recientemente creado en la página. El método `position()` permite darle una posición relativa a la esquina superior izquierda. El método `value()` retorna el valor actual de la barra deslizadora, el cual está siendo usado para definir el color del fondo del lienzo en `draw()`.

Ejemplo 13-6: crea un recuadro de ingreso de texto

`createInput()`añade un recuadro que puede ser usado para ingresar texto a tu programa. `createButton()` añade un botón que puede gatillar cualquier función que escojas. En este caso, el botón es usado para ingresar el texto dentro del recuadro de entrada al programa:

```
var entrada;
var boton;

function setup() {
  createCanvas(480, 120);
  entrada = createInput();
  entrada.position(20, 30);
  boton = createButton("submit");
  boton.position(160, 30);
  boton.mousePressed(dibujarNombre);

  background(100);
  noStroke();
  text("Ingresa tu nombre.", 20, 20);
}

function dibujarNombre() {
  background(100);
  textSize(30);
  var nombre = entrada.value();
```

```
  for (var i=0; i < 30; i++) {
    fill(random(255));
    text(nombre, random(width), random(height));
  }
}
```

Los objetos entrada y boton son definidos en la parte superior del código y creados dentro de setup(). createButton() acepta un argumento, la etiqueta a ser mostrada en el botón. El método mousePressed() es usado para asignar una función a ejecutar cuando el botón es presionado. Dentro de drawName(), los contenidos del recuadro de entrada son leídos usando el método value() y usados para rellenar el fondo con el texto.

Apéndice A: Consejos de programacion

Programar es un tipo de escritura. Como todos los tipos de escritura, programar tiene reglas específicas. Para comparar, mencionaremos rápidamente algunas de las reglas del español a las que probablemente no les has puesto atención porque te son naturales.

Algunas de las reglas más invisibles son escribir de izquierda a derecha y poner un espacio entre cada palabra. Otras reglas más evidentes son las convenciones de ortografía, la mayúscula en los nombres de personas y lugares y el uso de puntuación al final de las frases. Si rompes una o más de estas reglas al escribir un correo a un amigo, el mensaje igualmente se puede entender. Por ejemplo, "hola ben. como estas oy?" se entiende casi tan bien como "Hola, Ben. ¿Cómo estás hoy?" Sin embargo, la flexibilidad de las reglas de escritura no se transfiere a la programación. Como estás escribiendo para comunicarte con un computador, en lugar de otra persona, necesitas ser más preciso y cuidadoso. Un carácter fuera de lugar es a menudo la diferencia entre un programa que funciona y otro que no.

Tu navegador trata de indicarte dónde has cometido errores y de adivinar cuál es el error. Cuando ejecutas tu programa, si hay problemas gramaticales (sintaxis) en tu código (los llamamos *bugs*), la consola muestra un mensaje de error con un número de línea que indica dónde puede estar el error. El texto en la consola trata de ser de ayuda y sugiere el problema, pero a veces el mensaje es demasiado difícil de entender. Para un principiante, estos mensajes de error pueden ser frustrantes. Ten en cuenta que tu navegador está tratando de ayudar, pero tiene un conocimiento limitado sobre lo que tú estás tratando de lograr.

Adicionalmente, tu navegador solamente puede encontrar un error a la vez. Si tu programa tiene muchos errores, necesitarás continuar ejecutando el programa y arreglando un error a la vez.

Por favor lee y vuelve a leer las siguientes sugerencias detenidamente para ayudarte a escribir código limpio. Para un tutorial más profundo sobre correción de errores, revisa *https://p5js.org/es/learn/debugging.html*.

Funciones y parámetros

Los programas están compuestos de muchas partes pequeñas, las que se agrupan para formar estructuras más grandes. En español tenemos un sistema similar: las palabras son agrupadas en frases, las que son combinadas para formar oraciones, las que luego son combinadas para crear párrafos. La misma idea existe en código, pero las pequeñas partes tienen nombres distintos y se comportan de forma diferente. Las *funciones* y los *parámetros* son dos partes importantes. Las funciones son los bloques básicos para construir un programa en p5.js. Los parámetros son los valores que definen cómo se comporta una función.

Considera una función como `background()`. Como el nombre lo sugiere ("background" significa "fondo"), se usa para definir el color del fondo del lienzo. La función tiene tres parámetros que definen el color. Estos números son los componentes rojo, verde y azul para definir el color. Por ejemplo, el código a continuación pinta azul el fondo:

```
background(51, 102, 153);
```

Revisa cuidadosamente esta linea de código. Los detalles clave son los paréntesis despues del nombre de la función que rodean a los números, y las comas entre cada número. Todas estas partes necesitan estar presentes para que el código se ejecute. Compara la línea de ejemplo anterior a estas dos versiones de la misma línea, pero con errores:

```
background 51, 102, 153; // ¡Error! Faltan los paréntesis
background(51 102, 153); // ¡Error! Falta una coma
```

También hay un punto y coma al final de cada línea. El punto y coma se usa como un punto. Señala que se acabó una instrucción, para que el computador pueda buscar el inicio de la siguiente. Si omites el punto y coma, tu navegador lo averiguará de todos modos, pero se recomienda por consistencia que uses punto y coma. Sin embargo, la siguiente línea no tendría problemas:

```
background(51, 102, 153)
```

El computador no perdona ni la menor omisión o desviación de lo esperado.

Si recuerdas estos consejos, cometerás menos errores. Pero si te equivocas al escribir, como nos ocurre a todos, no es un problema. Tu navegador te alertará sobre el problema, y cuando esté corregido, el programa se ejecutará correctamente.

Comentarios

Los comentarios son notas que te escribes a ti mismo (o a otra gente) dentro del código. Debes usarlos para aclarar en palabras simples lo que el código está haciendo y para proveer información adicional como el título y el autor del programa. Un comentario empieza con dos barras oblicuas (//) y continúa hasta el final de la línea:

```
// Este es un comentario de una línea
```

Puedes hacer un comentario de varias líneas con /* y terminarlo con */. Por ejemplo:

```
/* Este comentario
   abarca más de
   una línea
*/
```

Cuando escribes un comentario de forma correcta, el texto será de color gris. El área comentada completa se vuelve gris para que puedas ver claramente dónde empieza y termina.

Mayúsculas y minúsculas

p5.js distingue entre letras mayúsculas y minúsculas y por lo tanto lee "Hola" como una palabra distinta de "hola". Si estás tratando de dibujar un rectángulo con la función rect() y escribes Rect(), el código no funcionará.

Estilo

p5.js es flexible en cuanto a la cantidad de espacio usado para darle formato a tu código. A p5.js no le importa si escribes:

```
rect(50, 20, 30, 40);
```

o:

```
rect (50,20,30,40);
```

o:

```
rect    (        50,20,
   30,   40)           ;
```

Sin embargo, es conveniente que tu código sea de fácil lectura. Esto se hace especialmente importante a medida que tu código aumenta en longitud. Un formato limpio hace que la estructura del código sea legible de inmediato, y un mal formato a menudo esconde los problemas. Toma el hábito de escribir código limpio. Existen muchas formas de formatear bien tu código, y la forma en que usas espacios es una preferencia personal.

Consola

La consola es un panel en tu navegador que puede ser usado para ayudar a corregir errores en tu programa. Puedes escribir mensajes en la consola con la función print(). Por ejemplo, el siguiente código imprime un mensaje y a continuación imprime la hora actual:

```
print("Hola p5.js.");
print("La hora es " + hour() + ":" + minute());
```

La consola es esencial para ver lo que está pasando dentro de tus programas mientras se ejecutan. Se usa para imprimir el valor de las variables y así comprobarlas, para confirmar si están ocurriendo eventos, y para determinar si un programa está teniendo un problema.

Un paso a la vez

Te recomendamos escribir unas pocas líneas de código a la vez y ejecutar el código frecuentemente para asegurarte que no se acumulen errores sin que te des cuenta. Todo programa ambicioso es escrito línea a línea. Divide tu proyecto en subproyectos más simples y hazlos uno a la vez para que puedas lograr muchas pequeñas victorias, en vez de un grupo de errores. Si cometes un error, trata de aislar el área del código donde crees que está el problema. Trata de imaginar que la corrección de errores es como resolver un misterio o un rompecabezas. Si te quedas atascado o te frustras, toma una pausa para refrescar tu cabeza o pídele ayuda a otra persona. A veces, la respuesta está delante tuyo, pero necesitas una segunda opinión para lograr encontrarla.

Apéndice B: Orden de operaciones

Cuando se realizan cálculos matemáticos en un programa, cada operación ocurre de acuerdo a un orden predeterminado. Este *orden de operaciones* asegura que el código se comporte de la misma manera cada vez que se ejecute. Esto no es muy distinto que en aritmética o álgebra, no obstante en la programación existen operadores que son menos conocidos.

En la siguiente tabla, los operadores de la sección superior son ejecutados antes que los de la sección inferior - por lo tanto, una operación dentro de paréntesis será ejecutada al principio y una asignación será ejecutada al final:

Nombre	Símbolo	Ejemplos
Paréntesis	( )	a * (b + c)
Sufijo, Unario	++ -- !	a++ --b !c
Multiplicativo	* / %	a * b
Aditivo	+ -	a + b
Relacional	> < <= >=	if (a > b)
Igualdad	== !=	if (a == b)
AND lógico	&&	if (mouseIsPressed && (a > b))
OR lógico	||	if (mouseIsPressed || (a > b))
Asignación	= += -= *= /= %=	a = 44

Apéndice C: Ámbito de variable

La regla del ámbito de variable se define simplemente como: una variable creada dentro de un bloque (código dentro de llaves: { y }) solamente existe dentro de ese bloque.

Esto significa que una variable creada dentro de setup() solamente puede ser usada dentro del bloque setup(), y de la misma forma, una variable declarada dentro de draw() solamente puede ser usada dentro del bloque draw(). La excepción a esta regla es una variable declarada fuera de setup() y draw(). Estas variables pueden ser usadas dentro de tanto setup() como draw() (o dentro de cualquier otra función que hayas creado). Piensa en el área fuera de setup() y draw() como un bloque de código implícito. Estas variables reciben el nombre de *variables globales*, porque pueden ser usadas en cualquier parte dentro del programa. A una variable que solamente podemos usar dentro de un único bloque la llamamos *variable local*. A continuación hay un par de ejemplos de código que explican con más detalles el concepto. Primer ejemplo:

```
var i = 12;   // Declara variable global i y asigna el valor 12

function setup() {
  createCanvas(480, 320);
  var i = 24; // Declara variable local i y asigna el valor 24
  print(i); // Imprime 24 en la consola
}

function draw() {
  print(i); // Imprime 12 en la consola
}
```

Segundo ejemplo:

```
function setup() {
```

```
  createCanvas(480, 320);
  var i = 24; // Declara variable local i y asigna el valor 24
}

function draw() {
  print(i); // ERROR! La variable i es local a setup()
}
```

Cierra la abertura.

beginShape ();

endShape (CLOSE);

Sobre los autores

Lauren McCarthy es una artista y profesora en el Department of Design Media Arts en UCLA. Fue residente en Eyebeam y en el Frank-Ratchye STUDIO for Creative Inquiry de Carnegie Mellon University. Dirige el desarrollo de p5.js.

Casey Reas es profesor en el Department of Design Media Arts en UCLA. Sus softwares, impresiones e instalaciones han sido destacados en numerosas exhibiciones individuales y colectivas en museos y galerías en Estados Unidos, Europa y Asia. Casey co-fundó Processing con Ben Fry en el año 2001.

Ben Fry es director de Fathom, una consultora de diseño y software ubicada en Boston. Recibió su PhD del Aesthetics + Computation Group en el MIT Media Laboratory, donde su investigación se enfocó en combinar campos como ciencias de la computación, estadística, diseño gráfico, y visualización de datos como medio para el entendimiento de información. Ben co-fundó Processing con Casey Reas en el año 2001.

Aarón Montoya-Moraga es educador, artista, ingeniero eléctrico, programador y educador. Es residente y graduado del programa Interactive Telecommunications Program en New York University. Co-dirige CODED, una escuela de artes mediales en Santiago de Chile.

Sobre el ilustrador

Taeyoon Choi es un artista radicado en Nueva York y Seúl, que trabaja con dibujos, electrónica, y performance. Taeyoon ha sido residente en Eyebeam, y co-fundó la School for Poetic Computation.

Colofón

El tipo de letra del cuerpo es TheSerif diseñado por Luc(as) de Groot. El tipo de letra del código es TheSansMono por Luc(as) de Groot.

Made in the USA
Columbia, SC
05 July 2018